D1113810

# BANGOR

## L'orphelin de la lande

# Paul Thiès

Illustrations de Nathaële Vogel

# BANGOR

# L'orphelin de la lande

**RAGEOT**

Cet ouvrage a été imprimé sur un papier
issu de forêts gérées durablement,
de sources contrôlées.

Couverture : Nathaële Vogel.

ISBN : 978-2-7002-4767-1
ISSN : 1951-5758

# Prologue

## Toussaint Chantepie

*Le début de mes Mémoires. Ça commence mal et ça ne risque pas de s'arranger. Ma vie à l'orphelinat. En attendant la guillotine.*

J'avais environ treize ans au début de mes aventures. J'étais un enfant trouvé et je ne connaissais pas mon âge exact. J'avais juste un prénom, Toussaint, et un nom de hasard, Chantepie.

L'empereur Napoléon III régnait alors sur la France. Naturellement, il se fichait complètement de moi, l'empereur. Il n'entendrait jamais parler de Toussaint Chantepie !

D'où me venait ce nom ? Pas de mes parents, bien sûr. À l'époque, je pensais que mon père était un fantôme et ma mère une fumée. Ou alors j'étais né d'un seul coup, sous la pluie, comme un champignon d'automne.

Toussaint Chantepie... Un drôle de nom ! Quand j'étais petit, je croyais qu'on m'avait trouvé le jour de la Toussaint, et qu'une pie chantait dans un arbre, au-dessus de mon berceau.

En réalité, ça ne s'était pas exactement passé ainsi. Je ne découvris la vérité que de longues années plus tard, après mon départ de l'orphelinat, les cheminées de Paris, les complots, les intrigues et pas mal de meurtres. Il faut vous dire qu'à cette époque, les cadavres dégringolaient autour de moi comme des pommes en automne !

Je moisissais donc dans le plus affreux orphelinat de Bretagne, qui s'appelait Fontbrune. J'y pourrissais comme un vieux chiffon au fond d'une cave, un rat dans une souricière.

À Fontbrune, les grands frappaient les petits, les gardiens cognaient les grands et les petits se bagarraient entre eux à la moindre occasion. Par contre, personne ne nous tirait les cheveux car on nous tondait le crâne une fois par mois. Résultat : pas un poil sur le caillou ! Nous nous battions pour un morceau de pain, pour un vieux croûton, une peau de saucisson.

À Fontbrune, les orphelins mouraient de faim entre deux crampes d'estomac. Les rats, dans les dortoirs, mouraient de faim eux aussi. Ils nous grignotaient les orteils pendant la nuit. La belle vie, quoi !

Pourtant, quand je me regardais à la dérobée dans un miroir, je me trouvais plutôt beau garçon, sauf que j'étais maigre comme un clou, tondu comme un genou et sale comme un pou. J'avais les yeux d'un bleu profond, lumineux, et mes cheveux ras, blonds comme les blés, brillaient au soleil.

Nous, les orphelins, n'apitoyions personne avec nos têtes rasées, nos pieds nus couverts de crasse ou de terre, usés par des sabots en hiver, écorchés par les cailloux en été, et nos mains rouges abîmées par le travail.

Les surveillants de l'orphelinat hurlaient que nous finirions au bagne. Et, en attendant ce jour-là, tout le monde nous brutalisait. La vie à Fontbrune, c'était l'enfer sur terre. D'ailleurs, les adultes nous parlaient sans arrêt de l'autre enfer, le vrai, avec les diables et les fourches, les flammes et les marmites.

Il existait pourtant dans la région un endroit pire que Fontbrune : la maison de correction de Mauperthuis, sur la lande. Je m'y retrouverais un jour, bien plus tard, mais je vous raconterai ça le moment venu, si la Veuve (comme on appelle la guillotine, au cas où vous ne le sauriez pas) m'en laisse le temps…

# Les garçons de Fontbrune

*Charlemagne, Louis XIV, Jules César et moi. Ma vie à Fontbrune. Je cogne dur, je travaille dur, la vie est dure. Je chante parfois, je pleure souvent.*

Fontbrune datait sûrement de Charlemagne, ou de Louis XIV, ou de Jules César, bref, d'un type qui aimait tellement les enfants qu'il les enfermait entre d'énormes murs de pierre pour qu'ils ne s'échappent pas.

À Fontbrune tout était gris, ou plutôt grisâtre, brunâtre, lugubre : les murs de granit, le sol de pierre, nos lourds sabots de bois, nos uniformes de bure et nos écuelles, nos paillasses humides, nos couvertures rapiécées.

Imaginez un immense quadrilatère de granit surmonté par de larges toits d'ardoise. Au centre, la cour où nous défilions le dimanche si des personnes importantes visitaient l'orphelinat. Nous dormions et mangions dans deux des ailes et travaillions dans la troisième qui abritait quelques salles de classe, un four à pain, une forge, une menuiserie, un atelier de cordonnier.

Les plus chanceux quittaient Fontbrune et devenaient mitrons pour un boulanger, arpettes chez un maçon ou apprentis. Ces veinards partaient pour Brest, Rennes, Nantes, et même pour Paris !

Les autres s'embarquaient comme mousses sur un caboteur ou se retrouvaient valets de ferme pour le reste de leur existence.

La quatrième aile appartenait aux adultes. Il y avait là des bureaux, les chambres des gardiens, les appartements privés de M. Bouffroy, le directeur, et de sa famille. Nous n'avions bien sûr pas le droit d'y fourrer notre nez !

Passons au dortoir : une salle sombre, sinistre, sonore. Vingt lits de fer et vingt paillasses moisies. Inutile de décrire mes camarades ; je n'avais pas d'amis à Fontbrune, à part Noël, un garçon aussi blond que moi, aux yeux aussi bleus. Noël avait neuf ou dix ans et je le protégeais de mon mieux contre les autres. Noël était mince, timide, naïf, souriant ; je l'aimais beaucoup. C'était un enfant trouvé, lui aussi, ce qui nous rapprochait.

Le dortoir puait. Les orphelins ne se lavaient pour de bon qu'une fois par an, le 31 février. Le reste du temps une bassine d'eau, croupie en été, glaciale en hiver, nous suffisait amplement.

Le matin, dès l'aube, le plus braillard des coqs de Bretagne nous arrachait au sommeil. Dès que je l'entendais, je rêvais d'omelette et de poule au pot. Hélas, ce maudit coq n'était pas si bête. Il restait bien à l'abri dans une ferme des environs...

Les vingt orphelins de ma chambrée rejetaient leur fantôme de couverture (avec plus de trous que de tissu) et sautaient sur leurs pieds. Comme nous dormions tout habillés (un pantalon et une blouse de bure rêche), la toilette ne durait pas longtemps. Nous enfilions nos sabots, nous nous collions sur la tête un bonnet de laine informe, refaisions nos lits à la hâte et la journée commençait.

Pas cadencé dans les couloirs, jusqu'au réfectoire où nous attendaient un café au lait sans lait et sans café (c'était de la mauvaise chicorée) et un morceau de pain noir. Les seuls objets blancs de l'orphelinat étaient nos dents et nos os fragiles. Ceux qui mouraient à Fontbrune, de tuberculose, de la grippe ou tout bêtement de chagrin, on les enterrait au fond du jardin.

Le repas se terminait pratiquement avant d'avoir commencé et les corvées débutaient : la cuisine ou les ateliers, le balai ou le rabot, à genoux dans les couloirs ou à cheval sur une poutre pour repeindre un plafond. Les surveillants nous bousculaient, nous rudoyaient. Nous galopions à travers les couloirs, le fracas de nos sabots secouait les dalles.

Ceux qui travaillaient dans les fermes des environs sortaient de bonne heure. Ils croisaient parfois en chemin des brigades d'adolescents maussades enchaînés par les chevilles : les prisonniers de Mauperthuis, la maison de correction. Ils nous ressemblaient, en plus vieux, en plus tristes, en plus méchants.

Bien sûr, le ciel était parfois bleu et l'herbe verte, mais nous n'en profitions guère. Pas question d'admirer le paysage, qu'il s'agisse de la lande balayée par le vent, des forêts de chênes ou de l'océan…

Je crevais de faim et de tristesse depuis des années, je recevais des coups sur la tête, je trimais dans les champs quand on nous louait à un fermier, je frottais le sol à quatre pattes, je balayais les couloirs, j'épluchais des légumes nauséabonds et j'astiquais des montagnes d'assiettes sales aux cuisines.

Parfois, une grosse pomme de terre ressemblait à la tête de M. Bouffroy, le directeur de l'orphelinat ou à celle de Gros-Bouillon, le cuisinier, qui se gobergeaient pendant qu'on claquait du bec devant nos écuelles.

Je les maudissais entre mes dents et hop ! je leur plantais mon couteau entre les deux yeux pour me venger du malheur qui m'écrasait. La nuit, je rêvais de douceur et de bonté, d'une famille. Le matin, au réveil, plus question de faiblir ! Je me défendais comme je le pouvais contre le monde entier, contre les adultes qui me tourmentaient et mes camarades qu'affolaient la faim, les coups et les humiliations.

Parfois, je chantonnais entre mes dents :

*Ma mère me bercera,*
*Mon père me sauvera.*
*Ma mère m'emportera,*
*Et mon père m'aimera...*

À cette époque, j'adorais les chansons et les vers de mirliton. Je les fredonnais en cachette avec l'impression d'avoir du soleil dans ma tête, de tenir un bel oiseau entre mes mains.

J'aurais bien voulu devenir chanteur, ou peintre, ou sculpteur, car j'étais très habile de mes mains. Il me semblait que si j'inventais ou si je créais quelque chose de très beau, je rendrais le monde entier plus beau, lui aussi, et plus heureux.

# Dans les champs

*Une promenade sur la lande. L'île de Bangor.*
*Maître Le Brez, Fanch et Noël. Une bagarre*
*de plus.*

Mes aventures commencèrent donc l'année de mes treize ans.

Par un gris matin d'automne, Fanch, un
adolescent de quinze ans, brun et solide,
le plus brutal de mes camarades, mon ami
Noël et moi, installés à l'arrière de la carriole de Maître Le Brez, un des riches fermiers du pays, somnolions en silence.

Nos pieds se balançaient dans le vide. Nous contemplions d'un œil vague les brumes de l'aube. Maître Le Brez nous menait à l'un de ses champs où nous travaillerions deux jours d'affilée. Il faudrait camper sur place. L'orphelinat nous louait souvent (et pour pas cher!) aux fermiers du coin. Bien sûr, l'honnête M. Bouffroy, le directeur, empochait l'argent à notre place.

Le sentier traversait la lande. Le vent glacial se prenait pour un gros rat. Il s'acharnait sur mon crâne nu, me mordait les oreilles. J'étais bleu de froid; je soufflais sur mes mains engourdies en espérant qu'elles ne se détacheraient pas comme des feuilles mortes.

J'apercevais des arbres aux feuilles rousses ou, plus rarement, un menhir pointé vers le ciel. Au moins, j'étais dehors, loin de Fontbrune. Je rêvais de Paris, de l'Amérique et de la Chine, mais aussi de Bangor.

Bangor était une grande île, au large. On racontait que fées et fantômes y dansaient ensemble, dans les forêts, qu'un vent surnaturel hantait les murailles de son château et de son monastère, protégées par de redoutables sables mouvants et enfin que le seigneur de Bangor parlait aux mouettes, aux corneilles et aux albatros. Il possédait de grands pouvoirs, autant qu'un roi, car depuis des siècles Bangor n'appartenait ni vraiment à la France ni tout à fait à l'Angleterre.

Bangor m'attendait, cachée dans les brumes. Mon avenir s'y déciderait bientôt, je l'ignorais encore.

Notre carriole avançait toujours. J'entrevis de loin la charrette de Jean-Marie Chandeleur, un colporteur de quatorze ou quinze ans qui parcourait la région. Je ne le connaissais que vaguement mais je l'admirais beaucoup. Il sortait de Fontbrune, lui aussi. À présent il se débrouillait tout seul, proposant des mouchoirs ou des châles, des almanachs et des couteaux aux fermiers des environs.

Le vieux cheval qui nous tirait toussait comme un malade. Il provenait sans doute d'un orphelinat pour animaux, il était maigre à faire peur avec de longues dents jaunes qui claquaient. Il trottait quand même vaillamment et la carriole tressautait sur le sentier.

Noël frissonna. Il glissa sa main glacée dans la mienne et me sourit gentiment. Noël souriait toujours à tout le monde, même à Fanch qui l'avait pris en grippe et qui lui tapait dessus du matin au soir.

Maître Le Brez, une force de la nature, un colosse aux poings énormes, aux épais cheveux bruns, nous déposa devant le champ où nous passerions la journée, la nuit et le jour suivant. La mer n'était qu'à une demi-lieue. Je humais son odeur et je la devinais, grise et tourmentée, couverte d'écume. Le bruit des vagues nous parvenait faiblement...

Maître Le Brez jeta sur le sol les outils qu'il nous laissait et grommela :

– Je reviendrai demain soir, tas de fainéants, et gare à vous si le travail n'est pas fini. Le fouet, c'est pas que pour les chiens !

Fanch le salua jusqu'à terre et assura d'une voix obséquieuse :

– Tous s'r'a bien fait, not'maître.

Le Brez lui jeta un regard impassible. Il déposa près des outils les provisions et les couvertures qu'il nous accordait pour deux jours, remonta dans la carriole, fouetta le cheval moribond qu'il ne conservait que par avarice et s'éloigna.

Nous nous mîmes aussitôt à l'ouvrage. Il fallait curer le fossé et déraciner des souches pour que Le Brez, au printemps, installe des vaches laitières dans ce pré.

Il paraît que les Parisiens adorent la Bretagne. Ils admirent les ruisseaux et les arbres, les fées et les korrigans. Moi, ce matin-là, je n'y pensais guère. Je suais, je gémissais, je jurais. Mes pieds saignaient, mes sabots raclaient la glaise gelée. Mes mains s'écorchaient sur le manche de ma pioche, mes ampoules éclataient comme des grenades.

À chaque fois que mon outil cognait le sol, la secousse traversait mon corps trop maigre et se répercutait dans mon crâne. Bref, au matin de ma première aventure, je ne ressemblais vraiment pas à un héros. Je jalousais Fanch qui s'échinait à mes côtés, piochant à coups répétés, comme pour fendre le monde en deux. Il était bien plus fort que moi.

Vers onze heures du matin, je louchais déjà vers le panier déposé par Le Brez près du fossé. Il contenait une grosse miche de pain, du fromage, un peu de lard rance, une gourde d'eau et un cruchon de cidre. Je me redressai, m'essuyai le front du revers de la main et risquai un pas vers les victuailles. Noël se rapprocha. Il avait très faim, lui aussi. Ses yeux bleus brillaient de convoitise.

– Pas question de se reposer, grogna Fanch. On travaille, jusqu'à ce que je vous dise d'arrêter.

J'ouvris la bouche pour protester mais Fanch ajouta d'une voix rogue :

– C'est même pas midi. Retournez au boulot, et plus vite que ça !

– Mais j'ai faim, moi, protesta Noël. Si on commençait? Rien qu'un morceau…

Fanch ne répondit pas. Il gifla le petit, si fort que Noël roula sur le sol. Noël se recroquevilla en protégeant sa tête de ses mains.

Il ne criait pas, n'appelait pas à l'aide; il obéissait à la loi du plus fort, comme nous tous, à Fontbrune.

Je me dressai pourtant face à Fanch et lui criai, les poings serrés :

– Fiche-lui la paix!

– Ta gueule! gronda Fanch. T'en veux-t-y ta part? T'as qu'à demander, minable, j'vas te casser en deux!

Je lui envoyai mon poing dans la figure. Il ricana et se jeta sur moi. Noël rampa vivement sur le sol pour s'éloigner.

J'étais un des gars les plus solides de l'orphelinat mais Fanch était *le* plus fort et il avait environ deux ans de plus que moi. Il m'envoya son coude en pleine face, me brisant presque le nez. Je reculai et Fanch en profita. Il réunit ses deux mains, les serra l'une contre l'autre et me balança un tel coup au menton que je dégringolai à mon tour.

Noël nous regardait, accroupi à quelques pas. Il tremblait comme une feuille.

– Ben voilà, comme ça t'as compris ! conclut Fanch. On r'tourne au boulot. Et quand on mangera, j'prendrai ta part, ça t'apprendra. Mais si t'es pas content, t'as qu'à l'dire et j'recommence.

Je me relevai péniblement et attrapai ma pioche, prêt à frapper Fanch. Malheureusement il ne se laissa pas surprendre. Debout, les jambes écartées, il attendait mon attaque.

– Essaie donc, pour voir, ricana-t-il.

Je haussai les épaules, baissai la tête et repris mon travail.

Midi. Une heure. Deux heures. Fanch s'arrêta enfin. Il engloutit tranquillement ma part et la moitié de celle de Noël. Moi, je n'avalai qu'un peu de cidre, les joues trempées par la sueur ou des larmes de rage.

Je me remis à l'ouvrage. Je creusai la terre de toutes mes forces. Je frappai le sol à coups redoublés, comme si je frappais le ventre de Fanch, implorant le diable en personne pour qu'il m'aide à le massacrer.

# Les naufrageurs

*Mauvais rêves. La corne de brume. Des feux sur le rivage. Un bateau en perdition.*

La nuit approchait, le crépuscule recouvrait la lande. Des nappes rouges et violettes, venues du large, envahissaient le firmament. Bientôt, il fit trop sombre pour travailler. Nous nous disposâmes à camper sur place, comme prévu. Nous poursuivrions notre ouvrage dès l'aube.

Fanch, Noël et moi allumâmes un feu entre deux grosses pierres.

Nous avalâmes de bon appétit notre deuxième ration de pain, de lard et de fromage (surtout moi, car j'avais le ventre plus creux qu'un tambour !), puis nous nous enroulâmes dans nos couvertures, près des braises rougeoyantes.

Je m'endormis au bout de quelques minutes et fis des rêves confus où se mêlaient les corvées de l'orphelinat et l'Ankou, le valet de la Mort des légendes bretonnes, qui ressemblait à un squelette menant un cheval fantôme et une charrette spectrale. Il me poursuivait sur la lande. Des lutins et des korrigans l'aidaient à me traquer. Ils m'appelaient et dansaient autour de moi en hurlant des menaces et des insultes.

Soudain, l'Ankou lâcha sa faux et brandit à la place une lourde corne de brume. Il en tira un appel lugubre, angoissant, terrifiant qui se propagea sur les flots et se répercuta sur toutes les falaises du pays.

Je m'éveillai en sursaut et regardai autour de moi, le cœur battant, les paupières encore gonflées de sommeil.

Noël et Fanch s'étaient réveillés, eux aussi.

– Vous avez entendu ? demanda le petit en frissonnant.

– Oui, maugréa Fanch. On dirait une corne de brume. Ça venait de la mer.

– Alors ce n'était pas un rêve ? balbutiai-je en me frottant les yeux.

– Bien sûr que non, me répondit Fanch. Écoute encore !

Je tendis l'oreille : le son de la corne de brume était bien réel. Il déchirait la nuit, du côté de l'océan. Puis j'entendis d'autres bruits, plus vagues, plus confus : des cris, des craquements, des hurlements, peut-être aussi des pleurs et des supplications.

– Qu'est-ce que c'est ? demanda Noël.

– On dirait un naufrage, des matelots qui appellent au secours, suggéra Fanch en se levant. Allons voir ! Mais méfions-nous !

– Pourquoi ? demanda naïvement Noël.

Fanch empoigna sa pioche sans répondre. Il haussa les épaules et se dirigea vers la mer. Je remarquai qu'il marchait pieds nus.

– Suivons-le, soufflai-je à Noël. Et ne mets pas tes sabots non plus. Il vaut mieux ne pas faire de bruit.

– Pourquoi ? répéta le petit.

– Tu n'as jamais entendu parler des naufrageurs ? lui demandai-je en attrapant à mon tour ma pioche en guise d'arme.

Noël pâlit un peu et ne posa plus de questions. Il connaissait de nom les naufrageurs, bien sûr, comme tous les habitants de la région. Il y en avait de moins en moins, car les gendarmes les traquaient sans pitié, mais ils restaient très dangereux.

Ces criminels allumaient des feux sur le rivage, des signaux trompeurs destinés à attirer les navires. Si l'équipage se fiait à ces signaux, le bateau risquait fort de s'écraser sur des récifs, loin des ports et des plages. Les naufrageurs attaquaient alors les marins et les passagers et les tuaient sans pitié pour s'emparer de leurs marchandises.

Fanch s'éloignait déjà, marchant d'un bon pas. La pleine lune le guidait.

Il traversa le champ où nous avions passé la journée puis quelques arpents de lande en friche. Il sauta deux ou trois fossés, passa une haie de genêts et finit par trouver un sentier qui descendait vers la plage. Je le suivais toujours et devinai, devant nous, la masse grisâtre de l'océan.

La grève s'étirait comme un long serpent de sable. À droite et à gauche, des paquets d'écume se brisaient sur des rochers aux formes confuses semblables à des nains et des bossus, à des fauves endormis ou des tours en ruine.

– C'est bien ça, siffla Fanch entre ses dents. Attention…

Il se jeta à plat ventre. Noël et moi l'imitâmes aussitôt, le plus silencieusement possible.

Les naufrageurs étaient là ! Je comptai dix ou douze hommes vêtus de grosse toile et coiffés de bonnets de laine, comme des marins. Ils tenaient à la main des lanternes sourdes qui, de loin, ressemblaient à d'énormes lucioles. La plupart étaient armés. Les feux de position allumés pour tromper leurs victimes flambaient sur les récifs. Les reflets des flammes prêtaient à ces hommes un aspect sauvage et farouche, comme aux korrigans de mon rêve.

– Le bateau, gémit Noël. Il est perdu…

Il avait raison. Le navire en perdition, roulé par les vagues, tanguait dangereusement. Il s'agissait d'un vaisseau de commerce trop lourd pour échapper aux courants qui l'entraînaient vers les écueils. Son mât vacillait, ses voiles, déjà déchirées, claquaient au vent. J'entrevis deux hommes cramponnés au gouvernail ; ils tentaient désespérément de manœuvrer leur embarcation.

Je me demandai fugitivement à qui appartenait le navire, à des marchands venus de Bangor ou à des Anglais qui pratiquaient la contrebande d'alcool et de tabac à laquelle se livraient certains marins dans la région ? De toute façon, ils étaient perdus !

Une dernière vague souleva le navire et le précipita sur les récifs qui déchirèrent sa coque, pareils aux dents d'un monstre marin. Le mât se brisa comme une allumette. Les marins et les passagers poussèrent des hurlements et se jetèrent à l'eau pour échapper à la catastrophe. Hélas, les naufrageurs étaient là, qui les guettaient. Au fur et à mesure que les rescapés abordaient la terre ferme, les bandits se précipitaient sur eux et les achevaient à coups de couteau ou de bâton.

Ils s'acharnaient sur les passagers pour les dépouiller. C'était un spectacle épouvantable !

Noël, livide, se dressa sur ses coudes. Il allait crier, malgré le danger, pour avertir les malheureux. Je plaquai ma main sur sa bouche et chuchotai :

— Tais-toi, au nom du ciel ! D'ici tu n'aideras personne mais s'ils t'entendent, nous sommes perdus. Ils nous tueront, nous aussi.

— De toute façon, y a plus rien à faire, marmonna sombrement Fanch.

Il avait raison. Les ultimes cris des dernières victimes s'éteignaient déjà. Les naufrageurs, désormais maîtres du sinistre champ de bataille, s'affairaient autour de l'épave éventrée, gloussant d'une joie mauvaise. Ils ramassaient des ballots de marchandises flottant entre deux eaux, roulaient des tonneaux qui contenaient sans doute des alcools de grande valeur, fouillaient les moindres débris et même les cadavres de leurs victimes pour y trouver des montres, des bourses, des bijoux. Les rochers ressemblaient maintenant à de sinistres pierres tombales. Des goélands planaient sur l'épave en lançant des hurlements désolés.

– Quelle horreur, gémit Noël.

– Il faut filer d'ici le plus vite possible, murmurai-je. S'ils nous voient, notre compte est bon.

– Oui, retournons au champ, répondit Fanch. Une fois là-bas on se rendort et ni vu ni connu ! Personne ne nous fera d'ennuis.

– Ce n'est pas sûr, chuchota Noël. Regardez, ils viennent vers nous.

Il avait raison. Sur la plage, les naufrageurs se séparaient. Certains longeaient la grève vers l'est, d'autres vers l'ouest, mais plusieurs d'entre eux, escaladant les dunes, s'enfonçaient dans les terres. Ils portaient des sacs ou de lourdes charges, les fruits de leur pillage. Ils s'approchaient de nous !

– Y a un fossé sur le côté, marmotta Fanch. Vite, vite, cachons-nous !

Nous roulâmes tous les trois sur nous-mêmes et, au dernier moment, parvînmes à nous blottir dans une étroite tranchée infestée de ronces et d'orties. Une seconde plus tard, j'avais la peau en feu.

Les contrebandiers passèrent à quelques pas de nous, sans nous voir. Je levai les yeux et constatai que l'un d'entre eux, le dernier, boitait légèrement.

# La découverte de Noël

*Naufrageurs et cauchemars. La trouvaille de Noël. J'affronte Fanch.*

Nous laissâmes les naufrageurs s'éloigner puis nous sortîmes du fossé, couverts de cloques. Nous l'avions échappé belle ! Nous attendîmes un long moment et laissâmes les malfaiteurs s'éloigner pour de bon.

Je les vis disparaître sur le sentier. Le boiteux, qui marchait en dernier, se retourna, comme s'il devinait notre présence et cherchait à nous voir. Heureusement, il finit par suivre ses compagnons.

– Et maintenant, qu'est-ce qu'on fait ? marmonnai-je au bout d'un instant.

– On prévient les gendarmes, bien sûr ! s'exclama Noël.

Fanch et moi échangeâmes un regard dubitatif. Je caressai gentiment les cheveux ras du petit et lui expliquai :

– Ce ne serait pas très prudent.

– Et pourquoi ?

– Eh bien les gendarmes ne nous aiment pas beaucoup, tu sais. Pour eux, les orphelins et les enfants trouvés sont forcément des voyous !

Le visage de Noël s'allongea mais Fanch hocha la tête d'un air approbateur.

– Ils nous soupçonneront à tout hasard, continuai-je. Ils nous accuseront de complicité et nous nous retrouverons à la maison de correction de Mauperthuis avant d'avoir compris ce qui nous arrive.

– Qu'est-ce qu'on fait ? demanda Noël.

– Rien. On retourne au champ, c'est tout, décida Fanch. Il faut se lever tôt demain et continuer à piocher. Pillards ou pas, nous avons du travail. Maître Le Brez compte sur nous !

– Et… et les naufragés? murmura Noël. J'hésitai.

Je ne voulais pas le heurter mais Fanch avait moins de scrupules.

– Les naufragés, ils sont tous morts! déclara-t-il brutalement. On ne peut plus rien pour eux!

Noël me jeta un regard éperdu et baissa la tête, accablé. Je poussai un profond soupir, honteux de mon impuissance. Je rêvais souvent d'aventure mais les tristes exploits des naufrageurs me ramenaient à la réalité.

L'aventure, la vraie, se révélait soudain à moi, sinistre et sanglante.

Nous regagnâmes notre campement. Les dernières braises du feu livraient un faible rougeoiement et un reste de chaleur. Nous nous couchâmes sans parler, songeant aux marins morts.

Je dormis très mal. Mes cauchemars revinrent, en pire. Cette fois, l'Ankou m'enfournait dans un grand sac et me précipitait dans l'océan au milieu des hurlements des naufragés. Des pieuvres géantes enroulaient leurs tentacules autour du navire et l'entraînaient sous les flots avec tout son équipage.

Fanch me réveilla dès l'aube, sans ménagement. Je sautai sur mes pieds, soulagé d'échapper à mes mauvais rêves. Il faisait très froid. Des lambeaux de brouillard flottaient sur les champs, étouffant le lointain bruit des vagues.

Nous trimâmes sans répit toute la matinée. Après la pause de midi, Noël s'éloigna de nous un long moment.

Fanch finit par s'en rendre compte et grogna :

– Où est le gamin ? Il fait la sieste ou quoi ?

Je regardai autour de moi, ennuyé. Fanch s'énervait facilement et je ne voulais pas que le petit reçoive une nouvelle raclée. Mais soudain, la voix claire de Noël s'éleva derrière nous, à l'autre bout du champ :

– Toussaint ! Fanch ! Venez, j'ai trouvé quelque chose !

Nous courûmes vers lui. Il venait de creuser le sol autour d'une vieille souche, écartant patiemment racines et mauvaises herbes.

– Venez ! J'ai trouvé un coffre ! répéta-t-il.

Une minute plus tard, Fanch et moi nous penchions sur la découverte de Noël : un petit coffre de métal, rouillé et cadenassé.

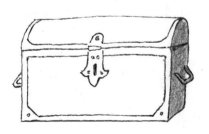

– Un trésor. C'est un trésor, murmura Noël à genoux devant la cassette.

Fanch et moi échangeâmes un regard émerveillé par-dessus la tête du petit. Pour une fois, nous pensions la même chose :

« Un trésor !

Le bonheur, la richesse, la liberté ! »

Nous, les orphelins, nous n'allions pas à l'école mais nous connaissions de belles histoires de trésors, de pirates et de brigands. Ces contes parlaient des Caraïbes, de coffres merveilleux remplis de perles ou de diamants.

Dans ces histoires, les flibustiers massacraient des tas de gens. Et après ils revenaient au pays, du côté de Brest, de Saint-Malo ou de Quimper, afin d'y cacher leur butin. Pour de jeunes Bretons élevés face à l'océan, les Caraïbes et leurs trésors semblaient plus proches que Paris.

Après la nuit terrible que nous venions de vivre, je ne me sentais plus aussi émerveillé par ces récits. Les crimes des naufrageurs m'avaient épouvanté. Mais quand même... un trésor! Mes yeux brillaient malgré moi!

Et si la cassette de Noël contenait des tas de pièces d'or, de quoi m'offrir un palais vaste comme Paris, avec des lits de plume (un pour chaque jour de la semaine et un dernier, à baldaquin, pour le dimanche) et des carrosses pour rouler entre le salon et la cuisine?

– Il a l'air lourd, ce coffre. On l'ouvre, hein, les gars? demanda Noël d'une voix chevrotante.

– Et comment! grogna Fanch.

Il leva sa pioche et brisa le cadenas d'un coup précis.

Et...

C'était bien un trésor! Le coffre contenait des centaines de pièces d'or et d'argent, certaines usées ou ternies, d'autres encore brillantes, comme si leur propriétaire venait de les astiquer.

Je les effleurai de la main. Doublons et thalers, louis et ducats... Ces pièces venaient peut-être d'Espagne et d'Amérique, des Indes, de la Chine.

Mon cœur battait la chamade.

– Co... comment est-ce que tu as eu l'idée de fouiller dans ce coin? bredouillai-je.

– Ben, je suis passé tout à l'heure près de la souche et j'ai vu que la terre avait été remuée récemment.

– Et alors? s'impatienta Fanch.

– Eh bien j'ai pensé aux naufrageurs de cette nuit, continua Noël. Le boiteux était passé par là, tout près de la souche, et il m'avait semblé de loin qu'il se penchait, comme pour vérifier quelque chose. Alors, je me suis demandé s'il n'y avait pas une cachette secrète. J'ai fouillé, j'ai cherché, et voilà!

– Mais il y a bien trop d'argent! m'écriai-je. Ils n'ont pas trouvé tout ça sur le navire!

– Bien sûr que non, répliqua Noël. Je suppose que les contrebandiers accumulent des pièces depuis longtemps. C'est leur cachette, leur coffre-fort.

Je parcourus le champ et la lande du regard. Personne. La fortune dénichée par Noël nous appartenait !

– C'est formidable, soupirai-je. Mais si les naufrageurs reviennent ?

– On s'en moque ! gronda Fanch. L'or est là ! Il est à moi !

Et puis quoi encore ? Je rectifiai âprement :

– L'or est à nous.

– T'as pas compris, Toussaint, riposta Fanch d'une voix rauque. Je garde l'or et si t'es pas d'accord, je vous crève tous les deux !

# Meurtre sur la lande

*Dispute autour du trésor. Un cadavre sur les bras. L'argent ne fait pas le bonheur, surtout quand on vous le prend.*

Personne ne parla pendant de longues minutes. Le vent du large emportait les nuages, les corneilles et les goélands tourbillonnaient en plein ciel.

Je reculai de quelques pas et jetai un regard méfiant à mon adversaire. Noël, effrayé, se serra contre moi.

Fanch se balançait d'un pied sur l'autre, prêt au combat. Je n'osais pas l'affronter. La veille, il m'avait à moitié démoli pour un vulgaire morceau de fromage. S'il voulait le trésor, il me tuerait et après il liquiderait Noël. Je l'en croyais bien capable.

Fanch était beaucoup plus fort que moi, je ne le savais que trop. Ses cheveux châtain foncé, un peu plus longs que les miens (on le tondait moins souvent que nous parce que les gardiens l'appréciaient), encadraient un visage aux traits réguliers, obstinés. Il travaillait plus dur que les autres ; il avait ses raisons.

Il surveillait mes moindres mouvements. Je décidai de le raisonner.

— Écoute, Fanch, commençai-je avec prudence, pas la peine de s'énerver. Regarde tout cet or ! Il y en a assez pour trois. On pourra quitter l'orphelinat. Suffit de cacher la marchandise un peu plus loin et d'attendre. Comme t'es le plus fort, t'en prendras plus que nous, d'accord, mais faut quand même partager. Noël et moi...

– Noël et toi, je m'en moque ! gronda-t-il. Vous pouvez crever, je garde tout !

Je serrai les poings et lui demandai :

– Et t'en feras quoi ?

– Je le donnerai à Maître Le Brez, et si t'essaies de m'en empêcher, je te tue ! T'as compris ?

Il parlait d'une voix sifflante, comme un serpent. Sa face livide, ses yeux sombres brusquement remplis de lueurs sanglantes m'épouvantaient. Je compris que je n'arriverais pas à le convaincre.

À l'orphelinat, nul n'ignorait que Fanch était le bâtard de Maître Le Brez. À cette époque, les enfants illégitimes étaient des misérables, des parias, des moins que rien. Leurs parents les cachaient, les abandonnaient. Un bâtard passait son existence entre la honte et le déshonneur, le scandale et le malheur. Sa naissance le marquait à jamais au fer rouge.

Les copains chantaient parfois un couplet que j'avais inventé :

*Pas de parents, pas de passé,*
*Pas d'avenir, pas de métier !*
*Si t'as personne, faut pas rêver,*
*T'as beau crier, tu peux crever !*

Or Fanch rêvait constamment de son père. Maître Le Brez l'obsédait !

Je connaissais bien l'histoire de Fanch car il la racontait à qui voulait l'entendre. Sa mère, une servante, était morte peu après sa naissance et Fanch avait échoué à Fontbrune. Maître Le Brez, veuf et sans enfant légitime, se demandait à qui léguer ses écus, ses fermes et ses terres. Fanch ne songeait qu'au jour où son père le reconnaîtrait et l'emmènerait vivre sous son toit. En attendant, il tyrannisait les petits et il trimait comme un fou pour plaire au riche fermier.

Je secouai la tête pour rassembler mes esprits. Il fallait que je trouve une idée, et une bonne, sinon je me retrouverais à jouer de la harpe au paradis.

– Écoute, Fanch, commençai-je, si tu prends tout l'or on te dénoncera au directeur et Maître Le Brez n'aura pas le trésor. Vaut mieux partager tranquillement, pas vrai? C'est-y pas une bonne idée?

Fanch réfléchit un instant et marmotta :

– T'as raison, si vous me dénoncez c'est foutu. J'ai pas le choix, faut que j'vous liquide quoi qu'il arrive.

Il le pensait vraiment! Je reculai lentement pour ne pas trébucher sans quitter Fanch des yeux. J'appelai doucement :

– Noël, mets-toi derrière moi. Ne t'approche pas de lui!

Le petit obéit en silence, très pâle. Cette histoire se terminerait peut-être par une jolie tombe à deux places... Fanch agrandirait le trou et il nous enterrerait là, au lieu du coffre. Ensuite il porterait son butin à Maître Le Brez. J'entendais d'ici l'histoire qu'il inventerait pour expliquer notre disparition : Noël et moi avions décidé de nous évader, nous nous étions sauvés sur la lande et là, surprise ! Un loup nous croquait sous un chêne ou alors l'Ankou, le valet de la Mort aux yeux creux, nous enlevait sur sa charrette tirée par un squelette de cheval... De toute façon, qui diable perdrait son temps à rechercher des orphelins, des vauriens, des bons à rien ? Si le loup nous mangeait, les bonnes gens le féliciteraient sûrement !

Bref, je n'en menais pas large. Noël, blotti derrière moi, ne bougeait plus d'un poil.

J'empoignai fermement ma pioche et menaçai :

– Si tu t'approches, je te brise le crâne !

– C'est marrant, j'allais te dire la même chose, ricana Fanch en brandissant sa propre pioche.

J'étais fichu ! Je me demandai qui je haïssais le plus : Fanch ou l'orphelinat, cet endroit monstrueux qui l'avait transformé en fou furieux.

Fanch avançait toujours. C'était trop bête : j'allais mourir riche avant d'en profiter !

Soudain, une voix éclata :

– Ça va les gosses ! Tenez-vous tranquilles, on se charge de l'or.

La voix venait d'un énorme buisson de genêts, sur notre gauche. Noël étouffa un cri. Fanch et moi nous retournâmes ensemble, les yeux écarquillés.

Deux hommes apparurent, tenant chacun un gros pistolet à la main.

Le premier, le plus âgé, arborait une moustache tombante et quelques verrues. Je le reconnus immédiatement. Il s'agissait d'un des surveillants de l'orphelinat. Nous le surnommions l'Échalas. En réalité il se nommait Joss Le Fort. C'était le cousin de Gros-Bouillon, le cuisinier de Fontbrune. Était-ce un des naufrageurs ? Oui, sans doute, même si je ne l'avais pas reconnu dans l'obscurité.

L'autre homme, âgé d'environ vingt-cinq ans, pâle et blond, boitait légèrement. Encore un des naufrageurs, celui qui marchait en dernier ! Je m'aperçus qu'il portait un tatouage en forme de griffe au poignet gauche.

– Éloignez-vous du coffre, les mômes, ordonna le boiteux.

Fanch et moi, brusquement alliés contre ces adultes menaçants, nous consultâmes du regard : il valait mieux obéir. Nous reculâmes sans discuter. Noël nous emboîta le pas.

– Qu'est-ce qu'on fait ? demanda l'Échalas à son compagnon, qui semblait être le chef.

– Tu les surveilles pendant que je m'occupe de l'or, répondit le boiteux. Ensuite on les liquide.

La situation empirait à vue d'œil : je mourrais toujours, mais ruiné ! Et en plus, je partagerais ma tombe avec Fanch !

Le boiteux coinça son arme dans sa ceinture, souleva le coffre d'un solide coup de reins, le posa en équilibre sur son épaule et l'emporta vers le sentier. J'entrevis, à demi caché derrière le buisson, un alezan équipé de vastes fontes de cuir. Le boiteux y plaça le coffre puis revint vers nous d'un pas vif malgré son infirmité.

– T'as fini ? s'impatienta l'Échalas sans nous quitter du regard.

– Encore un détail à régler, lui répondit l'autre.

Il reprit son arme en main, la pointa vers la nuque de l'Échalas et… il fit feu! Joss Le Fort tomba à nos pieds, face contre terre. Il était mort.

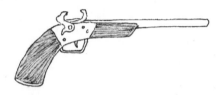

– Bougez pas, les gosses! hurla le boiteux.

Et puis quoi encore? Nous nous dispersâmes comme des moineaux. Fanch à droite, Noël à gauche et moi cul par-dessus tête de l'autre côté de la souche, prêt à détaler jusqu'à Notre-Dame de Recouvrance, du côté de Brest!

Le meurtrier, déconcerté, n'essaya pas de nous rattraper. Il baissa son arme, courut vers son cheval, se hissa en selle, piqua des deux et disparut dans le brouillard, nous abandonnant avec un trésor en moins et un cadavre en plus.

# Danger à Fontbrune

*Un sinistre enterrement. Retour à l'orphelinat. Le cuisinier me cuisine. Je passe presque à la casserole.*

Encore un mort, à deux pas de moi ! Je vacillai sur mes jambes, épouvanté. Je levai les mains et me mordis les poings pour m'empêcher de hurler. J'avais des frissons, des haut-le-cœur, mais impossible de flancher. Il fallait réagir, et vite, avant qu'on nous découvre en compagnie d'un homme assassiné !

Nous regagnâmes le camp. L'obscurité envahissait de nouveau la lande. Maître Le Brez reviendrait bientôt. S'il nous trouvait là, avec le cadavre de l'Échalas sur les bras, on nous accuserait du meurtre. Ce serait la maison de correction pour Noël et pour moi, et peut-être la guillotine pour Fanch, le plus âgé d'entre nous.

– Faut l'enterrer, et vite ! décida Fanch, dont les pensées suivaient le même chemin que les miennes. Heureusement qu'on a nos pioches et une pelle.

– L'enterrer ? Où ça ? demanda Noël en frissonnant.

Je balayai le champ du regard et pointai le doigt vers l'extrémité du fossé qui disparaissait sous un rideau de ronces et d'orties.

– Là ! C'est de la mauvaise terre. Les vaches n'iront pas dans ce coin et Le Brez non plus.

– T'as raison, concéda Fanch. Vite !

Fanch et moi nous mîmes au travail. Nous rivalisions d'ardeur car notre vie était en jeu, une fois de plus. Noël nous aidait de son mieux. Je levai anxieusement les yeux vers le ciel. Une lune pâle scintillait déjà au-dessus de l'horizon.

Je marmonnai :

– Heureusement que Le Brez est un salaud pas ordinaire. Il reviendra tard, il veut qu'on trime le plus possible.

Pour une fois, Fanch ne défendit pas son père. Il lâcha sa pioche et s'exclama :

– C'est fini ! Allez, on flanque l'Échalas dedans et on rebouche.

– Comme ça ? protesta Noël. Sans prière, sans rien ?

– Tu préfères la Veuve ? répliqua brutalement Fanch. On y va !

Il empoigna le mort par les épaules, je le saisis par les pieds... et hop ! Adieu, Joss Le Fort ! Dix secondes plus tard, Fanch s'emparait de la pelle et se remettait au travail.

Le bon Dieu veillait quand même sur nous, ou alors le diable (qu'on appelle aussi le Boulanger, parce qu'il met les âmes des damnés au four) aimait mes chansons.

À l'instant précis où Fanch tassait la tombe improvisée du plat de sa pelle, nous entendîmes la voix de Maître Le Brez :

– Ohé, les marmots ! Où êtes-vous ?

Le fermier se dirigeait vers nous au rythme du vieux cheval. Nous avançâmes vers lui en prenant l'air innocent. L'Air Innocent, c'est la spécialité numéro 1 des orphelins. Si un adulte y croit, il est cuit !

Maître Le Brez descendit de sa carriole et examina le fossé, le champ et les souches.

– Le travail n'est pas fini, remarqua-t-il d'un ton mécontent.

– On n'a pas eu le temps, not'maître, commença Fanch d'une voix suppliante.

La Voix Suppliante, spécialité numéro 2. Mais ça ne marcha pas. Le Brez gifla Fanch en plein visage, exactement comme Fanch avait giflé Noël, la veille.

Le fermier se tourna vers moi et me frappa à son tour. Il dévisagea ensuite Noël, grimaça et ne daigna pas le toucher.

Nous remontâmes en silence dans la carriole. Ma joue me brûlait. Oubliés les naufragés, le trésor sous la souche, l'Échalas, l'assassin boiteux et tatoué. Je flambais de haine et de honte. Fanch serrait les dents. Il souffrait plus que moi. C'était son père qui l'avait frappé…

Une heure plus tard, nous retrouvions l'orphelinat, ses murs, nos paillasses infectes.

La nuit s'écoula sans nouvelle catastrophe. Pour une fois, les rats m'oublièrent. Comme j'avais transpiré deux longues journées au grand air, je sentais un peu moins mauvais que d'habitude. Ça les décourageait probablement.

Le lendemain matin, le travail ordinaire reprit ses droits. Je devais expédier deux ou trois heures de corvée d'épluchage sous les ordres de Gros-Bouillon. Je gagnai donc les cuisines d'un pas traînant.

Si Gros-Bouillon s'appelait en réalité Yvon Le Fort, son surnom lui convenait parfaitement : nez en patate, oreilles en feuille de chou, ventre en marmite. Vu de loin, un poussah huileux; de près, un obèse hargneux. D'ordinaire il ne me parlait guère mais ce jour-là il m'interpella rudement.

– Dis donc, Toussaint, commença-t-il pendant que je récurais un chaudron de cuivre, tu n'as pas vu mon cousin l'Échalas? On ne l'a pas aperçu depuis deux jours.

Aïe... Pourquoi Gros-Bouillon me posait-il cette question au lieu d'interroger n'importe quel autre môme? Il ne portait pas de tatouage, lui. Connaissait-il ou non le secret des naufrageurs? Je pris vite ma tête de crétin, lui servis mon sourire le plus idiot, ma grimace la plus soumise et je répondis d'une voix innocente, celle que j'utiliserai après ma mort devant saint Pierre pour le convaincre que j'étais au fond (tout au fond!) un gentil p'tit gars.

– Ben non m'sieur, je l'ai pas vu, pas depuis l'autre matin, quand il surveillait la cour.

Gros-Bouillon agita sa louche dans ma direction.

– T'es sûr, vaurien ?

Je souriais de plus en plus niaisement. Je bafouillai de mon mieux :

– Bien sûr que je suis sûr, m'sieur.

Il valait mieux en rester là. Je lâchai mon chiffon, empoignai une brosse de crin et tombai à genoux. Je frottai énergiquement le sol pour que le cuisinier ne voie pas mon visage. Hélas, ça ne marcha pas. Il était gros, Gros-Bouillon, mais pas si bête. Il me releva d'un bon coup de pied au derrière. Surprise ! Il brandissait au lieu de sa louche un long couteau très tranchant. Il me repoussa contre le mur, posa la lame sur ma gorge et susurra :

– Écoute, morveux, je sais que l'Échalas et un de ses copains se baladaient du côté d'un trésor sur la lande, il m'en a parlé. Et je sais aussi que, hier, tu travaillais justement dans le coin !

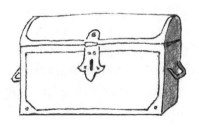

Flûte ! Il fallait inventer une histoire plausible, et plus vite que ça !

Je bredouillai lamentablement :

– Quel trésor, m'sieur ?

Gros-Bouillon me secoua comme un prunier et précisa :

– Ils fouillaient près d'un des champs de Le Brez, et c'est là que tu travaillais avec les deux autres mômes.

La situation se compliquait. Que répondre ? Je devais absolument sortir un mensonge astucieux de ma manche, ou plutôt de ma cervelle.

– Alors, Toussaint, tu parles ou je t'égorge pour mon ragoût ? siffla Gros-Bouillon.

– Je sais rien, m'sieur ! Rien de rien !

– D'accord, ricana le cuisinier. Puisque c'est comme ça je te saigne et je raconte à monsieur le directeur que tu m'as attaqué. Légitime défense ! On t'enterre bien gentiment et moi j'attends un peu pour interroger les deux autres. Le petit Noël, par exemple. Je suis sûr qu'il parlera, il est si gentil.

– Non ! Pas... pas lui, gargouillai-je.

– Et pourquoi pas ? Je m'arrangerai pour qu'il soit de corvée de pluche dès demain.

Je haletais. Son ventre énorme m'écrasait contre le mur et la pointe du couteau s'enfonçait lentement, lentement, dans ma chair. Du sang coulait déjà sur ma blouse.

– Bon, ben, adieu, Toussaint, chuinta Gros-Bouillon.

À cet instant (comme dans les belles histoires, celles que racontent les grands-mères, le soir, à la veillée, à ce que prétendent les orphelins qui ont connu leur famille), quelqu'un me sauva la mise et la vie. Ce n'était ni un ange, ni mon père, ni un fantôme, ni même le diable. Quoique...

# Le ramoneur et le berger

*Maître Brazier entre en scène. Noël gagne des agneaux et un pipeau. La Morrigane me fait les yeux doux et l'Ankou les gros yeux.*

L'homme qui venait de pénétrer dans la cuisine était haut comme une tour et plus large que long, un vrai colosse. Il possédait une tignasse de lion, une barbe d'ours et des yeux de porc. Il traînait souvent dans le pays, toujours recouvert d'une épaisse couche de suie.

Je le redoutais, comme tous les enfants. On l'appelait maître Brazier.

Fulbert Brazier était ramoneur. Il achetait des orphelins et les emmenait à Paris où ils travaillaient pour lui comme apprentis. Brazier revenait régulièrement à Fontbrune mais on ne revoyait jamais les garçons.

On racontait que ses « élèves » mouraient parfois, étouffés au fond d'une cheminée obscure. Maître Brazier les jetait dans la Seine pour s'épargner les frais d'enterrement et les enquêtes de police. Il passait pour un mauvais maître, un homme cruel et un avare de première classe mais là, j'aurais volontiers embrassé ses souliers boueux pour le remercier de son intervention.

Brazier se planta au milieu de la cuisine et jugea la situation d'un coup d'œil.

– Tu es fou, Gros-Bouillon ? beugla-t-il en m'arrachant à mon assassin. Laisse ce mioche tranquille !

Je m'effondrai sur le sol puis m'assis sur une marmite retournée. Je tremblais comme une feuille.

Gros-Bouillon, qui tenait toujours son couteau à la main, se tourna vers le ramoneur :

– De quoi tu te mêles, toi?

– De ce qui me regarde et tu le sais parfaitement, répondit l'autre d'une voix coupante.

Drôle de réponse. J'aurais dû me méfier mais j'étais tellement soulagé que pour moi, Brazier était saint Pierre, saint Nicolas et saint Glinglin réunis.

– Ce sale môme sait sûrement où est le trésor, piaula le cuisinier. Il a peut-être tué mon cousin!

– L'Échalas? s'étonna Brazier.

– Oui! Il a disparu.

– Il reviendra, affirma Brazier. En attendant, laisse ce garçon tranquille. Je me charge de lui.

Je regardai Brazier avec une soudaine méfiance. Cette promesse ne me disait rien qui vaille. Je me remettais déjà de mes émotions (au fond, je suis un gars courageux, surtout quand il n'y a plus de danger) mais le ramoneur m'inspirait un mélange de peur et de répulsion.

Il me dévisagea d'un air pensif et m'ordonna :

– Va-t'en, morpion, on n'a plus besoin de toi.

Je hochai la tête, me levai en hâte et abandonnai la cuisine sans demander mon reste. J'avais bel et bien vu une griffe tatouée sur le poignet gauche de maître Brazier. Le même tatouage que l'assassin boiteux !

L'Échalas ne reparut jamais à Fontbrune, bien sûr. Le directeur pensa qu'il tentait sa chance ailleurs. Gros-Bouillon en jugeait sans doute autrement mais il ne s'occupa plus de moi, du moins en apparence. Il ne convoqua ni Fanch ni Noël. Il nous laissait tranquilles. Pour le moment.

On raconta, dans le pays, qu'un navire venu de Bangor s'était perdu corps et biens sur les récifs, du côté de la lande. Des pillards avaient dépouillé les passagers et les matelots morts et emporté la cargaison. J'écoutais attentivement ces histoires tout en me gardant d'ouvrir la bouche.

Noël quitta l'orphelinat à la fin du mois. M. Bouffroy le plaça comme valet de ferme chez un certain Gallen, un fermier nettement moins méchant que Le Brez. Noël hériterait d'un tas de corvées, comme de juste, mais il passerait le plus clair de son temps à s'occuper des moutons de son nouveau maître.

– Je suis bien content, Toussaint, m'expliqua-t-il le jour de son départ.

Il hocha gravement la tête et ajouta avec un beau sourire :

– Tu comprends, les moutons, c'est pas comme les enfants. C'est gentil et c'est calme, ça fait pas de bruit et ça ne me tape pas dessus.

Je lui rendis tristement son sourire : je perdais mon seul ami.

Pourtant, dix jours plus tard, je m'offris de courtes mais merveilleuses vacances près de la bergerie de Noël.

La tranquillité la plus complète régnait à Fontbrune. Fanch travaillait de son côté et Gros-Bouillon nous empoisonnait lentement quoique sans égorger personne. Les surveillants m'imposaient leurs corvées habituelles. Ce jour-là, par exemple, j'apportai un lourd sac de farine à la ferme de Gallen qui en manquait.

Le sac m'écrasait le dos (le pire, c'est que je ne goûterais jamais au pain ou aux galettes qu'on en tirerait), mais le fermier me donna un bol de lait en récompense. Il me restait même une heure de liberté devant moi. Noël me fit donc les honneurs de sa bergerie.

Le petit habitait désormais une jolie cabane de pierres grises blottie au fond d'un vallon. Elle contenait une table et un banc de bois, une paillasse de foin frais qui sentait très bon, un coffre où il rangeait sa couverture de laine et sa blouse de rechange, deux étagères fixées au mur pour ses écuelles, ses cruches et le reste de sa vaisselle.

Noël riait de plaisir en me montrant son nouveau logis. Ça lui suffisait, c'était son palais. Pas à moi. Moi, je rêvais non seulement d'un père et d'une mère, mais de *vrais* palais et de princesses inaccessibles. Et aussi, comme souvent, de Bangor, l'île étrange qui me fascinait. Je fredonnai doucement :

*Châteaux et princesses,*
*Marins et promesses,*
*Ô fées de Bangor,*
*Vaisseaux chargés d'or...*

*Châteaux et princesses,*
*Palais et caresses,*
*J'entends sur le port*
*Les vents de Bangor !*

*Châteaux et princesses,*
*Jours clairs, nuits de liesse,*
*Marins, cap au Nord,*
*Voguons vers Bangor...*

Noël, pieds et tête nus, m'écoutait, les oreilles grandes ouvertes et les orteils en éventail. Il riait de plaisir, au bord de SON ruisseau, à l'ombre de SON tilleul, câlinant un agneau qui bêlait sur ses genoux pendant que les moutons broutaient tranquillement, un peu plus loin. Pour moi ce n'étaient que des côtelettes pas encore cuites mais le petit les adorait. Il battit des mains pour me féliciter.

– Chante encore, Toussaint, j'aime tes chansons ! Tu en inventes autant que tu veux ? Tu as de la chance !

– C'est ça, chante encore, beau garçon, répéta une voix narquoise derrière nous. Les fées t'écoutent sûrement.

Je me retournai vivement.

Une fille de mon âge (bon, elle avait un ou deux ans de plus que moi, ne chipotons pas pour si peu) nous observait. Je l'examinai avec intérêt.

Cheveux longs, roux et bouclés, yeux verts et brillants, une peau hâlée par le grand air, les pieds nus dans l'herbe douce, une casaque de mouton retourné en guise de manteau, elle ressemblait à une gitane, une pirate, une guerrière.

Je la connaissais vaguement. Elle se nommait Morgane Penhoël mais tout le monde l'appelait la Morrigane car, avec ses cheveux roux et son air bravache, elle rappelait les légendes de jadis. Les vieux racontaient, au coin du feu, que la Morrigane était la déesse bretonne de la guerre.

Le père de Morgane, un certain Pierrick Penhoël, un dangereux braconnier rebaptisé l'Ankou par les gardes-chasse, hantait les landes et les bois.

– Tu es doué, Toussaint, reprit la Morrigane en me toisant, goguenarde. Et si tu poussais ta chansonnette sous les fenêtres des riches, à Paris ?

Je rougis un peu et me mordis les lèvres. C'était justement un de mes projets les plus fous : gagner la capitale et survivre en jouant mes chansons sous les fenêtres des bourgeois.

Je me croyais différent des autres garçons de Fontbrune. Je supportais les coups des gardiens et j'attendais une vie meilleure. Je rêvais. Je réfléchissais à mon avenir. Et puis la Morrigane disait la vérité, sans le savoir j'étais doué !

D'abord, j'aimais chanter, et même composer, improviser mes propres chansons, des refrains qui me consolaient de ma triste condition. Ensuite, je devinais une force étrange dans mes mains. J'avais envie de peindre, de dessiner, de pétrir des formes et des couleurs. Et si je devenais peintre, un jour ? Pas à Fontbrune, bien sûr, c'était impossible. Il fallait patienter, attendre mon heure.

La Morrigane me dévisageait toujours avec malice. Noël lui adressa un large sourire.

– Bonjour, Morgane ! s'exclama-t-il. Tu me cherchais ?

– Je t'apportais un pipeau, comme promis, répondit la fille, mais puisque je suis là…

Elle me rejoignit en trois pas, sous le tilleul, approcha son visage tout près du mien et VLAN ! Elle m'embrassa ! Sans prévenir ! En plein sur la bouche !

Je n'en revenais pas. Je reprenais péniblement mon souffle quand un homme m'empoigna par le col et me secoua comme Gros-Bouillon et comme un prunier. Ça devenait une habitude !

– Dis donc, vilain moineau, tu embrasses ma fille ? hurla mon agresseur. Je vais t'apprendre à vivre en te coupant la gorge, moi !

Diablevert et vert-de-gris, encore un qui voulait m'égorger ! Ça devenait une manie.

Je me tortillai pour échapper à l'étreinte de l'attaquant, clignai des yeux pour reprendre mes esprits et constatai que :

Un, la Morrigane rigolait comme une folle.

Deux, mon agresseur n'était autre que son père, l'Ankou, un grand gaillard maigre aux cheveux blond-gris, aux dents jaunes, au nez crochu.

Trois, l'Ankou portait un solide coutelas à la ceinture.

Quatre, ledit Ankou, que je n'avais jamais approché de si près, portait au poignet gauche un tatouage en forme de griffe. Le même que celui de maître Brazier et du boiteux, l'assassin de l'Échalas !

Cinq, finalement je savais compter jusqu'à cinq. On progresse tous les jours !

# Amours et mystères

*L'Ankou m'effraie et la Morrigane m'épouvante. Naissance d'un amour. Chandeleur entre en scène. Les mystères s'accumulent.*

Le soleil brillait, le vent chantait et je n'étais pas complètement mort, malgré les bourrades de l'Ankou. Je m'appuyai donc au tronc du tilleul, histoire de retrouver mes esprits. Mes jambes flageolaient ; la poigne du braconnier m'oppressait encore.

L'Ankou ne s'occupait plus de moi.

– J'y vais ! Quand tu auras fini avec ces mioches, rejoins-moi au carrefour du Dolmen, ordonna-t-il à sa fille.

Il me jeta un regard torve puis il s'éloigna d'un bon pas et disparut sur le chemin.

La Morrigane me dévisagea, me tira la langue comme si nous avions encore sept ans puis elle se mit à rire, mais à rire ! Elle s'étouffait, s'étranglait, elle en pleurait.

– Pas de chance, Toussaint Chantepie ! s'exclama-t-elle en s'essuyant les yeux. Tu aurais pu rencontrer mam'zelle Blanche ou miss Dahu, et c'est sur moi que tu tombes !

Je rougis jusqu'aux oreilles, et même jusqu'aux orteils, heureusement, ça ne se voyait pas. La Morrigane connaissait tous les ragots du pays, y compris ceux de l'orphelinat, et elle avait parfaitement raison. J'aimais, et sans le moindre espoir !

Puisque ces Mémoires sont sincères et véridiques, il est temps que je vous parle un peu de mes amours…

Mam'zelle Dahu s'appelait en réalité miss Dahu Mauclerc. Elle était à moitié anglaise et elle portait le prénom de la princesse d'Ys, la légendaire cité engloutie.

Miss Dahu habitait avec sa famille la Tour-aux-Fées, le plus beau château du pays. Quand elle passait à cheval, les orphelins rougissaient comme des écrevisses et soupiraient à fendre l'âme.

Hélas, nous ne l'apercevions que de très loin, brune comme l'automne et libre comme le vent.

Mam'zelle Blanche, elle, n'était que la fille de M. Bouffroy, le directeur de Fontbrune. C'était une adolescente blonde, un peu grasse et pas si belle que ça.

Seulement, c'était la seule fille de l'orphelinat. Nous contemplions (de loin) ses robes roses et ses rubans bleus en bavant d'admiration !

Naturellement un garçon comme moi n'était qu'un cloporte aux yeux de mam'zelle Blanche et un vil ver de terre pour miss Dahu. La première plissait le nez avec dégoût quand nous la croisions dans les couloirs, le bonnet bas et la Mine Obséquieuse (la Mine Obséquieuse : spécialité numéro 3 des orphelins) ; pour la seconde, qui passait à cheval, le regard fier, je n'existais même pas.

– Pas de chance Toussaint, pas de chance, répéta la Morrigane d'un ton moqueur. Mais je veux bien t'embrasser encore, Toussaint Chantepie, pour te consoler.

Je haussai les épaules, caressai gentiment les cheveux ras de Noël et articulai le plus dignement possible :

– Je dois rentrer maintenant. Si je tarde trop j'aurai des ennuis.

– *Ennuis par-ci, ennuis là-bas,*
*Des tas d'ennuis, qui n'en a pas ?* improvisa la Morrigane de sa voix pointue.

Elle me tira de nouveau la langue.

– Je chante moins bien que toi, déclara-t-elle, mais j'embrasse mieux, n'est-ce pas, Toussaint Chantepie ?

Elle insistait, alors que l'Ankou risquait de revenir ! Si ça continuait on célébrerait mes noces et mon enterrement le même jour ! Je saluai Noël et m'échappai sans demander mon reste.

Un quart d'heure plus tard, je marchais d'un bon pas vers Fontbrune. Cent questions diverses se bousculaient dans ma pauvre cervelle.

Pour commencer, j'étais bel et bien amoureux de la Morrigane! Comme si les regards de mépris de Mlle Blanche et l'indifférence altière de miss Dahu ne me suffisaient pas!

Évidemment, la Morrigane n'était pas riche. La fille d'un misérable braconnier ne valait guère mieux qu'un orphelin en sabots mais sa hardiesse m'effrayait et me fascinait tout à la fois. Seulement... pourquoi me choisir parmi cent gamins dépenaillés? Je ne me jugeais pas si beau! Et son père, l'Ankou, était-il un des naufrageurs de l'autre nuit? Son tatouage le liait à l'Échalas, à l'assassin boiteux dont j'ignorais le nom et à Brazier, le ramoneur.

L'après-midi tirait à sa fin. Je me hâtais vers Fontbrune. Personne sur le chemin… et pourtant quelqu'un me guettait, caché derrière un mur de pierre. Il surgit devant moi, m'empoigna par le col de ma blouse (un de plus!) et m'entraîna jusqu'à une grange en ruine où les mulots dansaient la Carmagnole depuis l'époque où Louis XIV fréquentait Cléopâtre (j'aurais été nul en histoire à l'école, si j'avais été à l'école!).

C'était Jean-Marie Chandeleur, le jeune colporteur. Encore une complication! Quel rôle jouait-il dans cette histoire, celui-là?

– Salut, Toussaint, lança-t-il d'une voix claire. Il faut qu'on se parle!

Chandeleur s'installa sur une souche oubliée là depuis longtemps. Il portait deux larges besaces de cuir au côté. Il m'adressa un clin d'œil.

– Assieds-toi, Toussaint. Je dois te parler, répéta-t-il.

– De quoi, m'sieur Chandeleur? demandai-je machinalement.

– D'un trésor. D'un boiteux. De tatouages.

– Mais... mais... mais...

– Oh oh! La Morrigane t'aurait-elle ensorcelé? plaisanta-t-il. Je vous observais de loin. Elle t'a changé en mouton?

Je me mordis les lèvres, redoutant de me ridiculiser aux yeux de l'adolescent.

Chandeleur avait environ quatorze ou quinze ans. Son habit de colporteur, fané, poussiéreux, évoquait pour moi la grand-route et l'aventure. Je louchais avec envie sur ses gros souliers ferrés. De vrais souliers! Pour moi, ça valait une couronne royale.

Chandeleur me dévisageait de son côté. Son regard d'un bleu profond scrutait le mien.

Ses cheveux très blonds bouillonnaient dans son cou; ça aussi je l'enviais. Je haïssais tant mon crâne tondu!

Je balbutiai avec hésitation :

– Qu'est-ce que vous me voulez, m'sieur Chandeleur ?

– Tu peux me tutoyer, répondit-il.

Il m'adressa un large sourire.

– Tu sais, je te connais, affirma-t-il. Je gagne pas mal d'argent grâce à toi.

J'ouvris des yeux ronds et répétai bêtement :

– De l'argent, m'sieur Chandeleur ?

– Je connais tes chansons, précisa mon compagnon. Des orphelins placés dans des fermes les répètent et j'en ai recopié plusieurs.

Il tira d'une de ses besaces une liasse de feuilles froissées.

– Tu vois ? Je les vends aux gens sur les foires. Prends-en une.

Une bouffée de fierté m'envahit. On imprimait donc mes chansons, même sur du mauvais papier ! Peut-être qu'un jour mes refrains voyageraient jusqu'à Nantes et Paris ! C'était presque la gloire ! Je m'empourprai une fois de plus et répondis :

– Ben c'est que j'lis pas très bien, m'sieur Chandeleur.

– Ça n'a pas d'importance, répliqua vivement le jeune colporteur. Je veux te parler des Corbeaux, ceux qui portent la griffe tatouée.

– La griffe, murmurai-je. Ça veut dire quoi, m'sieur... heu, Chandeleur ?

– Une bande de malfaiteurs utilise ce tatouage comme signe de ralliement depuis longtemps, m'expliqua le jeune colporteur. On les appelle les Corbeaux. Il y a quelques années, c'étaient des contrebandiers qui trafiquaient de l'alcool avec l'Angleterre. Ils vendaient leur marchandise à Brest ou à Saint-Malo, de l'alcool et des tissus précieux pour des fortunes ! Grâce à ce trafic, certains sont devenus très puissants et sont partis pour Paris, d'autres sont restés en Bretagne et sont devenus des naufrageurs.

– Comme...

Je me mordis de nouveau les lèvres mais Chandeleur continua à ma place :

– Comme ceux de l'autre nuit, oui. Même si les plus dangereux sont ceux de Paris. Ils y organisent des cambriolages et des escroqueries. Il paraît que leur chef habite là-bas. Il dirige ses hommes de loin, mais nul ne connaît son identité. Il est très riche, très puissant et très cruel.

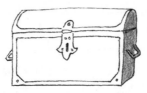

Je commençais à comprendre :

– L'Échalas et le boiteux appartiennent à cette bande ? Le trésor est à eux ?

– Exactement ! Par malheur, vous avez trouvé leur butin au moment où l'Échalas et le boiteux venaient le récupérer. À mon avis, ces deux-là comptaient voler l'or à leurs complices.

– Pourquoi ?

– Ils se sont sans doute dit qu'après le naufrage la région devenait trop dangereuse pour eux.

– Mais pourquoi le boiteux a-t-il tué l'Échalas?

– Quand tu commences à trahir, tu ne t'arrêtes plus, affirma Chandeleur. Il voulait probablement se débarrasser de son compère et tout garder pour lui. Le boiteux s'est dit que les autres Corbeaux croiraient Fanch, Noël et toi coupables, à cause du trésor, et le laisseraient tranquille. Maintenant, vous voilà devenus de dangereux témoins.

Je réfléchissais fébrilement. Puisque l'Échalas et Gros-Bouillon étaient cousins, ça expliquait l'attitude du cuisinier. Il n'appartenait pas à la bande puisqu'il ne portait pas de tatouage. Toutefois son cousin l'avait mis au courant, pour le trésor. Fanch, Noël et moi étions donc menacés à la fois par les Corbeaux, qui voulaient récupérer leur or, et par Gros-Bouillon, qui cherchait à s'en emparer pour son propre compte! Quel imbroglio! Mais…

Je regardai Chandeleur droit dans les yeux et lui demandai d'une voix sourde :

– Comment sais-tu tout ça? Tu es un Corbeau, toi aussi?

Il sourit, leva les bras et retroussa ses manches : pas de tatouage.

– La Morrigane m'a mis au courant, m'expliqua-t-il.

– Et elle, qui l'a renseignée ?

– L'Ankou, son père, est un Corbeau, me rappela Chandeleur. Seulement, la Morrigane... elle et moi... hum... Bref, c'est ma bonne amie.

– Mais elle m'a embrassé ! clamai-je, scandalisé.

Chandeleur avoua avec une nuance d'embarras :

– La Morrigane n'est pas une fille comme les autres. Elle a ses lubies, ses caprices. Elle voulait me rendre jaloux ! Elle t'a vu et t'a trouvé mignon, alors...

– Et tu n'es *pas* jaloux? m'écriai-je, rempli d'indignation.

Chandeleur haussa les épaules avec indulgence. Il me considérait probablement comme une quantité négligeable, juste bon à satisfaire un caprice de la Morrigane, justement. Je me sentais à la fois flatté et vexé. L'amour, c'est compliqué! Du coup, je n'aimais plus la Morrigane.

Enfin, presque plus…

– À mon avis, deux groupes se disputent le trésor, résuma Chandeleur en ignorant mes états d'âme. D'une part les Corbeaux, de l'autre l'Échalas et son cousin Gros-Bouillon. L'Échalas est mort mais Gros-Bouillon n'a pas renoncé. Les autres non plus, d'ailleurs.

Il hocha la tête et m'avertit :

– Noël est en danger. On tue plus facilement un berger isolé qu'un garçon en plein orphelinat.

– Noël? répétai-je avec affolement.

Noël était un peu mon petit frère. Et pour la première fois, je fis le rapprochement entre nos trois prénoms : Toussaint, Noël et Chandeleur.

Trois noms de fêtes.

Bien sûr, le gamin et le jeune colporteur étaient des enfants abandonnés, sans doute trouvés à Noël et à la Chandeleur, comme moi à la Toussaint. C'était quand même bizarre...

# La demoiselle,
# le cuisinier et l'Ankou

*Mam'zelle Blanche est vraiment moche. Je joue les jolis cœurs. Pour le cuisinier, c'est la fin des haricots.*

Je me séparai de Chandeleur en le remerciant chaleureusement et en me promettant de mieux l'interroger à la première occasion. Pourquoi voulait-il tant nous aider, Noël et moi ?

Une fois de retour à Fontbrune, je me creusai la cervelle en réfléchissant aux mystères qui me tourmentaient, en vain.

Les jours suivants je me contentai, dans la mesure du possible, d'éviter le redoutable Gros-Bouillon. Mais Noël? Comment l'aider, le protéger?

En désespoir de cause, une semaine après ma rencontre avec Chandeleur, je décidai de parler à mam'zelle Blanche Bouffroy, la fille du directeur.

Je m'arrangeai pour balayer le couloir menant des appartements de M. Bouffroy à la cour principale, mam'zelle Blanche le traversait souvent avant sa promenade.

Ce jour-là, elle portait une robe bleu pâle, un chapeau violet et une ombrelle de soie rose. Ces couleurs ne lui allaient pas mais le prix de ces fanfreluches dépassait sûrement une année des gages d'un garçon comme moi... sauf que je n'étais même pas payé.

Elle arrivait ! Je laissai tomber mon balai, ôtai vite mon bonnet, me plaçai devant ma proie et m'agenouillai humblement en pensant :

« Finalement, elle est grosse ! Bien plus laide que la Morrigane. Ouais, ouais, elle est plus propre mais plus moche ! »

En même temps, je glapis d'une voix geignarde :

– Oh mam'zelle, mam'zelle, c'que vous z'êtes belle !

– Quoi ? Comment ? gloussa la demoiselle, mi-flattée mi-effarée.

Je marmonnai de ma voix la plus niaise :

– Oh, j'suis ben sûr que vous z'êtes aussi bonne que belle, oui, pour sûr !

Mlle Blanche avait seize ans et à cet âge, les filles aiment qu'on les flatte.

– Que veux-tu ? grommela-t-elle.

Normalement, elle aurait dû hurler pour qu'on me flanque au cachot, mais les boniments, ça marche toujours. J'ai lu quelque part (bien plus tard, quand j'ai eu de l'instruction), l'histoire d'un type qui s'appelait Ruy Blas, dans une pièce de Victor Hugo.

Ce Ruy Blas se comparait à un ver de terre amoureux d'une étoile. Eh ben, les étoiles aiment que les vers de terre, les cancrelats, les cloportes et des tas d'horribles bestioles leur débitent des compliments idiots. Si elles les écoutent d'un air distrait, elles adorent ça. Seulement, ensuite, elles appellent leur valet de chambre pour qu'il les écrase et les jette à la poubelle !

Blanche me repoussa faiblement. Elle reniflait d'un air dégoûté, mais je la tenais ! Elle m'écoutait malgré elle. D'ailleurs, je la tenais vraiment : j'attrapai ses mains (ses gros doigts blancs sentaient bon et j'aurais bien voulu faucher sa bague) et les embrassai servilement. J'étais de plus en plus humble et de plus en plus hypocrite.

– Oh mam'zelle, couinai-je, j'voudrais tant qu'on me place chez m'sieur Gallen, le fermier.

(Il s'agissait du maître de Noël, bien sûr !)

– Et pourquoi ça, mon petit ? s'étonnat-elle en récupérant ses mains.

Mon petit ? Elle se prenait pour qui, cette grosse ? Elle n'avait que trois ans de plus que moi, après tout !

– Ben pour gagner mon pain, mam'zelle, vu que j'suis z'un bon garçon, expliquai-je en me courbant jusqu'à terre.

– C'est vrai ça ? demanda-t-elle en recomptant ses doigts du regard, comme si j'en avais volé un pour le revendre au charcutier.

– Oh oui ! Je sais travailler dur, moi !

J'aurais pu continuer sur ce ton pendant un mois entier mais le regard de la jeune fille se fixa sur quelqu'un qui arrivait derrière moi. Je me retournai et pâlis. Gros-Bouillon m'écoutait. Il avait compris que je voulais habiter chez le fermier Gallen pour protéger Noël ! Et maintenant qu'il le savait...

Je ne tenais plus la grosse mam'zelle Blanche sous mon regard et elle échappa à mon influence. Elle recula d'un pas, me toisa avec dégoût et m'ordonna :

– Laisse-moi tranquille, petit. Tu m'ennuies.

Je me mordis les lèvres et murmurai sourdement :

– J'vous demande pardon, mam'zelle.

Elle ne m'écoutait plus. Gros-Bouillon,
lui, scrutait mon visage. Je m'étais trahi. Je
devais rejoindre Noël le plus vite possible.

Cet après-midi-là, je m'esquivai de
Fontbrune. Ce n'était pas très difficile. Les
surveillants n'imaginaient pas qu'un orphelin puisse filer en plein jour, sans argent,
sans but, la tête rasée et affublé de vêtements facilement reconnaissables. Je quittai mon ouvrage en douce (je rapetassais
une paire de galoches) en expliquant sim-
plement au surveillant, devant la grande
porte :

– C'est mam'zelle Blanche qui m'envoie. Elle veut que je livre ces souliers au père Lanoue, près du moulin. C'est un pauvre vieux, elle lui fait la charité.

Dix minutes plus tard, je trottais vers la ferme de Gallen. Je jetai les galoches derrière un talus et continuai ma course en rêvant aux blanches mains de mam'zelle Blanche. Elles sentaient drôlement bon! Ça me rendait tout chose...

J'arrivai à la ferme en fin d'après-midi. Noël parquait ses moutons. Des paysans s'activaient dans les champs. Je me dissimulai au creux d'un fossé, derrière la cabane, pour attendre Noël.

Malheureusement je m'endormis au fond de ma cachette. Lorsque je me réveillai, au crépuscule, les grenouilles et les hiboux chantaient à qui mieux mieux. Des renards ou des furets, furtifs et invisibles, remplissaient la nuit de frôlements bizarres.

Je me relevai et me dirigeai vers la cabane en espérant que la lune ne me trahirait pas en brillant sur mon crâne nu.

Je poussai la porte et retins un cri d'épouvante. Gros-Bouillon était là, penché sur Noël endormi ! Il levait déjà un casse-tête en plomb pour le frapper !

Pas le temps de réfléchir. Je me ruai sur le cuisinier en hurlant :

– Fous-lui la paix !

Gros-Bouillon se retourna et abattit son casse-tête sur mon épaule. Une douleur fulgurante me traversa le bras. Heureusement, le coup porta à faux et l'arme glissa.

Je fonçai en avant et lui flanquai un bon coup de genou dans... Disons qu'il le sentit passer. Il lâcha son arme et se plia de douleur.

Noël se réveilla et réagit à son tour en lui labourant le cou de ses ongles. Gros-Bouillon piaula comme une souris qu'on écorche et j'en profitai pour lui flanquer mon second genou au même endroit. C'est normal de repasser les plats, pour un bon cuisinier !

En réalité, Gros-Bouillon ne goûterait jamais plus ni pain ni viande, ne boirait plus ni vin ni cidre. Il ne tuerait plus personne...

Il lâcha son arme, me bouscula en ânonnant de vagues injures et franchit la porte en titubant. L'Ankou, le père de la Morrigane, l'attendait dans la pénombre, grand et maigre, aussi sinistre que le valet de la Mort qui lui valait son surnom. Il tenait un cordon de cuir à la main. Il le passa prestement autour du cou du cuisinier et il l'étrangla aussi facilement qu'un poulet du dimanche. J'entrevis le tatouage, et la griffe ouverte.

Gros-Bouillon s'effondra sur le sol, le visage bleu. Noël me rejoignit. Il claquait des dents. J'entourai ses épaules de mes bras pour le protéger.

L'Ankou nous regarda un moment et grogna :

— D'abord l'Échalas, ensuite ce gros cochon. Ça fait deux fois que vous avez de la chance et qu'un autre type fait le boulot à votre place. M'est avis que ça ne durera pas.

Nous ne répondîmes pas. Noël tremblait de tous ses membres et moi, je n'en menais pas large.

Deux morts en quelques jours, sans compter les victimes des naufrageurs ! Le monde devenait fou !

Je respirai à fond et réussis à articuler :

— Vous… vous allez nous tuer ?

— Je voudrais bien, répondit le braconnier, surtout toi, le joli cœur. Si tu t'approches encore de ma fille, je t'écorche vif. Pour cette fois je vous épargne parce que ma Morgane m'en voudrait. Et puis Chandeleur tient à vous deux, mais faudrait pas abuser, les mômes.

Il haussa les épaules, comme si les désirs de Chandeleur avaient force de loi. Le jeune colporteur semblait décidément plein de ressources.

L'Ankou nous toisa de nouveau et ordonna :

– Noël, tu rentres dans ta cabane et t'en sors plus jusqu'à demain matin. D'ici là…

Il assena un coup de pied au mort et ricana :

– Je me débarrasserai facilement de cet imbécile. Les sables mouvants ne manquent pas dans le coin, on ne le retrouvera pas de sitôt.

Je frissonnais de la tête aux pieds. L'Ankou me lança d'une voix sans réplique :

– Toi, rentre à Fontbrune, et plus vite que ça.

– Mais il fait déjà nuit, protestai-je. On va me punir.

– Si on te punit, c'est que t'es vivant, répliqua le braconnier. C'est déjà pas si mal. Compris ?

Et comment que je comprenais ! Je pressai la main de Noël pour le rassurer et quittai la cabane en évitant tout contact avec l'Ankou. Une fois dehors, je regardai machinalement autour de moi, comme si la charrette de la Mort et le cheval fantôme m'attendaient sous les saules.

Non...

Pas cette nuit, pas pour moi...

Je regagnai Fontbrune en vacillant sur mes jambes.

# Rendez-vous avec le boiteux

*Miss Dahu fait la maligne, la Morrigane fait la moue et Chandeleur fait des mystères. Les amours de Fanch. Une promesse dure à tenir.*

De retour à Fontbrune, je ne révélai rien à personne et nul ne m'interrogea. La disparition mystérieuse de Gros-Bouillon provoqua davantage de commentaires que celle de son cousin, l'Échalas, mais finalement, M. Bouffroy engagea un nouveau cuisinier que les orphelins surnommèrent aussitôt le Ventru.

Tout le monde oublia les cousins Le Fort. Tant mieux. Pourtant, j'avais toujours peur. Les Corbeaux me semblaient capables de tout!

Un matin où je me rendais avec Fanch et d'autres orphelins au moulin des Sources, un vieux bâtiment qui exigeait pas mal de réparations, miss Dahu passa à cheval. Sa monture, un bai à la crinière flottante, trottait à belle allure.

La jeune fille nous dépassa puis tira sur les rênes. Nous, les garçons tondus, la regardions par en dessous en salivant d'admiration.

Miss Dahu montait en amazone, plus à l'aise sur son cheval que moi dans mes sabots. Elle portait une tenue d'équitation feuille morte, des bottes si belles que je n'en cirerai jamais de pareilles, et une toque de fourrure inclinée sur le front.

Je poussai un gros soupir et entendis un rire léger sur ma droite. Je me retournai et reconnus deux vieilles connaissances : Chandeleur, chargé de livres et d'almanachs, et la Morrigane, une brassée de fougères entre les bras. Elle étudiait la jeune demoiselle. Miss Dahu l'aperçut.

Les regards des deux filles se croisèrent, comme pour se défier, l'une riche, l'autre pauvre, mais bien belles toutes les deux. Mon cœur cabriolait dans ma poitrine! Les autres garçons ricanaient niaisement. Ils grognaient, sifflotaient, échangeaient des commentaires disons... un peu rudes. Deux filles d'un coup, c'était la fête!

Miss Dahu jugea que les crève-la-faim de Fontbrune l'admiraient depuis assez longtemps. Elle promena son regard mi-indifférent, mi-méprisant, mi-amusé (chez les riches il y a souvent trois moitiés, c'est d'ailleurs pour ça qu'ils sont riches) sur nous, les orphelins, piqua des deux et repartit au petit trot.

J'entendis la Morrigane murmurer :

– Peuh quelle poseuse.

Tiens, elle jalousait la demoiselle. Je dressai l'oreille.

– Tais-toi, lui ordonna Chandeleur. Tu sais qu'elle compte pour moi. Je l'aime.

Il l'aimait? Et pourtant, la Morrigane ne se fâcha pas. Bizarre autant qu'étrange. Chandeleur lui souffla un mot à l'oreille, traversa le chemin, rejoignit notre groupe et glissa discrètement un papier plié entre les mains de Joubert, un des surveillants, puis repartit d'un air dégagé.

Je fronçai les sourcils. Curieux manège.

Donc… Chandeleur, le bon ami de la Morrigane, aimait la demoiselle du château? Et ça ne vexait pas le moins du monde ladite Morrigane? Curieux garçon, avec des yeux et des oreilles partout, et le cœur bien vaste… L'Ankou prétendait que le jeune colporteur tenait spécialement à Noël, et à moi. Pourquoi donc, au nom du ciel?

Les surveillants distribuèrent quelques taloches et nous repartîmes. Fanch se rapprocha de moi. Nous ne pensions plus au trésor. À Fontbrune, haines et rancunes ne duraient pas longtemps; en tout cas, pas en surface.

– Dis donc, me souffla Fanch à l'oreille, t'as toujours pas entendu parler de Gros-Bouillon?

– Ben non.

– C'est quand même drôle, marmonna-t-il.

– Qu'est-ce qui est drôle?

– Qu'il ait disparu le jour où t'as eu tes petits soucis, ironisa Fanch.

Je haussai les épaules. À mon retour à Fontbrune, le soir de la disparition du cuisinier, j'avais effectivement récolté trois jours de cachot. Fanch, pas bête, se doutait de quelque chose...

– Alors, reprit-il, t'es sûr que t'es pas au courant, pour Gros-Bouillon? Et que t'as pas retrouvé le trésor?

Je soupirai de nouveau. Cette maudite histoire ne s'arrêterait donc jamais? Entre le trésor et les Corbeaux, Chandeleur et l'Ankou, je pataugeais dans une drôle de mélasse.

Le soir, sur le chemin du retour, Joubert, le surveillant, s'arrêta près de Fanch et m'appela.

– Vous deux, nous ordonna-t-il, allez à la ferme Gosselin. Il vous confiera une armoire à réparer aux ateliers. Vous la rapporterez le plus vite possible.

– Mais il est tard, protesta Fanch, les portes de l'orphelinat seront fermées quand on arrivera.

– Alors vous dormirez chez Gosselin, décida Joubert, je vous y autorise. Je préviendrai monsieur le directeur.

Une demi-heure plus tard, nous marchions vers la ferme. J'étais pensif, songeant au message de Chandeleur. L'ordre de Joubert venait sans doute en réalité du jeune colporteur.

Je connaissais la plupart des fermes du pays à force d'y travailler. Celle des Gosselin était l'une des plus prospères : des murs blancs, un toit de chaume bien entretenu, de beaux châtaigniers et un puits devant la porte. Fanch frappa et nous entrâmes.

Les Gosselin dînaient : le père, la mère, leurs cinq enfants, deux filles et trois garçons et... Jean-Marie Chandeleur, confortablement attablé au bout de la table, une large assiette de soupe au chou fumant devant lui. J'entrevis ses livres posés dans un coin. Il venait de proposer sa marchandise aux Gosselin qui, apparemment, lui offraient à dîner.

Fanch et moi ôtâmes poliment nos bonnets en guignant la soupière qui sentait drôlement bon. Nous mourions de faim, comme d'habitude.

– Que voulez-vous ? demanda Gosselin, un homme bien charpenté aux favoris roussâtres.

Nos ventres gargouillaient si fort qu'un des fils Gosselin, un gamin de sept ou huit ans, apitoyé par nos mines affamées, ramassa sur la table deux bouts de pain pour nous les apporter. L'aînée de ses sœurs, qui avait à peu près mon âge, un nez retroussé, de gentils yeux verts et de belles nattes blondes, ajouta un demi-saucisson en disant :

– Donne-leur aussi ça, Hervé.

Hélas, le fermier reprit le saucisson en grognant d'un air désapprobateur :

– Ça suffit comme ça, Amélie ! Le pain coûte assez cher !

Le gamin nous donna donc du pain sec.
C'était mieux que rien. Fanch et moi, le
bonnet à la main, bredouillâmes en chœur :

– Merci bien, m'sieur Hervé !

Il n'avait que huit ans mais c'était lui le
« monsieur », puisque le pain, la soupe et la
maison appartenaient à son père.

Je mordis avidement dans mon quignon
en regardant la table, la cheminée, le feu
qui flambait, les meubles de bois sombre,
le père robuste, la mère en coiffe blanche.
J'aurais donné vingt ans de la vie de Fanch
(et peut-être dix ans de la mienne en prime)
pour appartenir à cette famille !

À côté de moi, Fanch avala sa dernière
bouchée et marmonna à regret :

– C'est beau ici…

Pour une fois, nous étions d'accord !

J'expliquai au fermier que nous venions
pour l'armoire. Pendant que je parlais,
Fanch s'arrangea pour s'approcher d'Amélie
et lui chuchota à l'oreille :

– C'est-y pour vous l'armoire, mam'zelle ?
Parce qu'alors je m'appliquerai aux réparations si je sais que vous y rangez vos
vêtements.

La voix de mon camarade chevrotait légèrement. Fanch semblait à la fois troublé, ému, très heureux et très malheureux. En un mot comme en cent, il paraissait... amoureux !

Fanch amoureux ? Incroyable ! Je lui jetai un regard incrédule. Et pourtant... Le pauvre était plus rouge qu'une cerise !

Le fermier Gosselin ne nous proposa pas de soupe mais, comme il était trop tard pour trimballer l'armoire sur les routes, il nous prêta sa grange pour la nuit. Chandeleur, lui, dormirait sur un banc, au coin du feu.

Une fois seul avec moi, Fanch s'étendit sur la paille et murmura, se parlant à lui-même :

– Si mon père me prenait avec lui, je serais enfin quelqu'un et j'aurais le droit de causer avec mademoiselle Amélie.

Il ôta ses sabots et se massa les orteils en soupirant :

– Elle est jolie, l'Amélie, j'en ferais bien ma bonne amie.

Je plaisantai :

– Dis donc, Fanch, tu es vraiment amoureux ! Tu fais des vers sans le savoir.

Je n'étais pas encore instruit à l'époque et je ne connaissais pas Molière qui raconte à peu près la même chose dans sa pièce *Le Bourgeois gentilhomme* où le personnage principal fait de la prose sans le savoir (ce qui prouve que Molière et moi, on est aussi intelligents l'un que l'autre !), mais j'étais fier de ma phrase.

J'ajoutai d'une voix faraude :

— Si tu veux, je t'en invente une belle, de chanson, pour ton Amélie.

Ça aurait pu nous réconcilier mais Fanch avait trop mauvais caractère. Furieux de s'être livré, il cracha entre mes pieds et jura :

— Toi, le mendigot, si un jour je suis riche, j'te rosserai à coups de bâton.

Je ricanai et répliquai du tac au tac :

— Si t'es riche un jour, je t'offrirai mes fesses pour que tu tapes dessus ! Mais ça risque pas d'arriver !

Fanch grogna, haussa les épaules et se coucha dans la paille chaude en me tournant le dos.

Je ris sous cape et m'étendis à mon tour.

Nous nous endormîmes presque aussitôt. Chandeleur nous rejoignit vers une heure du matin. Il sifflota pour nous réveiller. Je bâillai à m'en décrocher la mâchoire.

– C'est toi? chuchotai-je en me frottant les yeux. T'es pas là par hasard, hein? Tu as demandé à Joubert de nous envoyer ici?

– Oui, répondit-il sur le même ton. Je dois vous parler.

– Qu'est-ce que tu nous veux? maugréa Fanch en s'appuyant sur un coude.

– Je sais où se cache le boiteux, déclara le jeune colporteur. Il n'a pas quitté le pays! Il attend un bateau pour passer en Angleterre.

– Il a toujours le coffre? s'informa vivement Fanch.

– Oui, affirma Chandeleur.

– Et t'as besoin de nous pour lui régler son compte, au boiteux?

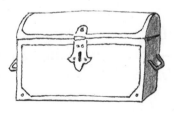

– Ses copains de Paris l'appellent Bibi Bancroche, précisa Chandeleur, mais tu as raison. J'ai besoin de vous.

– Et l'Ankou, et la Morrigane, ils ne peuvent pas t'aider? demandai-je sur un ton de défi.

– Je me méfie de l'Ankou, même s'il me renseigne.

– Il nous a sauvé la vie à Noël et à moi, précisai-je.

– Oui, mais il est trop dangereux pour que je lui fasse vraiment confiance, avoua Chandeleur. C'est un Corbeau, lui aussi! Bon, je compte sur vous?

– Et on se partagera l'or? demanda Fanch.

– Évidemment!

– Où ça? Quand ça?

– Dimanche matin, sous le menhir de Merlin, déclara Chandeleur.

– C'est là qu'il se cache, le boiteux? insista Fanch.

– Bien sûr que non, répondit le jeune colporteur. Je ne suis pas idiot au point de te révéler sa cachette d'avance. On se retrouvera là-bas, c'est tout.

– Nous n'avons pas le droit de sortir le dimanche, objectai-je.

– Je trouverai un moyen, assura Chandeleur. Entendu ?

Fanch et moi échangeâmes un bref regard avant de répondre en chœur :

– C'est d'accord.

– Très bien, sourit Chandeleur. Je vous laisse à vos rêves.

Il salua Fanch d'un air moqueur et susurra :

– La jolie Amélie…

Et à moi :

– La grosse mam'zelle Blanche.

– Jamais ! Elle est trop moche ! protestai-je avec énergie.

Chandeleur éclata de rire et disparut aussi rapidement qu'un farfadet. Je me demandai brièvement s'il n'était pas le fils d'une fée, rôdant sur terre pour tourmenter les orphelins.

# Le menhir de Merlin

*Tristes dimanches. Lady Sibyl et lady Cassandre. La chasse au trésor. Les sables mouvants. Requiem pour un boiteux.*

L'influence mystérieuse de Chandeleur s'exerçait bel et bien sur Fontbrune. Le dimanche suivant, vers midi, miss Dahu Mauclerc se présenta à cheval devant la porte de l'orphelinat.

Elle entra dans la cour et demanda à parler à M. Bouffroy, le directeur, comme si les lieux lui appartenaient.

Elle lui expliqua d'un air souverain :

– J'ai besoin de deux garçons pour porter un message au charron du village voisin.

– Deux garçons, répéta le directeur en multipliant les courbettes, car il redoutait la famille de miss Dahu, la plus riche et la plus puissante du pays. N'importe lesquels ?

– Non, un certain Fanch et un nommé Toussaint Chantepie, exigea la demoiselle. Ma mère leur a parlé le jour de Pâques et elle les a trouvés très honnêtes.

Les jours de fête, les notables du pays, parmi lesquels lady Sibyl Mauclerc, la mère de miss Dahu, une dame aussi belle que distraite, et lady Cassandre, sa tante, une femme au visage mélancolique, nous rendaient parfois visite. Lady Sibyl et lady Cassandre, veuves toutes les deux, se ressemblaient beaucoup. Lady Cassandre n'avait pas d'enfants.

Le dimanche, on priait à genoux dans la cour. Mam'zelle Blanche portait ses plus beaux bijoux. Le directeur expliquait aux orphelins à quel point les riches étaient bons pour eux. Ensuite les riches se goinfraient autour d'une grande table et nous les regardions de loin en salivant. En général, lady Sibyl bavardait gaiement avec le directeur mais sa sœur, lady Cassandre, ne parlait guère. Elle nous observait, l'air songeur.

Ce dimanche-là, donc, Fanch et moi quittâmes Fontbrune et nous dirigeâmes vers le menhir de Merlin.

L'automne approchait. Le vent emportait des paquets de feuilles mortes qui tourbillonnaient follement, frappaient les troncs d'arbre et repartaient plus loin, peut-être vers Bangor et l'Angleterre.

Le menhir de Merlin se dressait au cœur d'une zone sauvage et dangereuse. La mer battait les falaises à moins d'une lieue. Les naufrageurs de la bande des Corbeaux s'abritaient peut-être là, sur des plages étroites ou dans de sombres criques. La lande et les dunes dissimulaient des sables mouvants capables d'engloutir un homme en quelques minutes.

La clairière du Menhir avait mauvaise réputation. En effet, une large pelouse naturelle, un « cercle de fées », l'entourait. Les paysans la croyaient donc hantée.

Fanch s'accroupit sur le sol et se perdit dans ses pensées en attendant Chandeleur. Il ne s'occupait pas de moi. J'en profitai pour contempler le large. J'entrevis au loin, et voilée par la brume, une terre verte et sombre, Bangor, l'île de mes rêves…

Une voix claire me tira de mes songes :

– À quoi penses-tu, Toussaint ?

Je me retournai et vis Chandeleur, son visage hâlé rougi par le vent. Je remarquai un large coutelas et un pistolet passés dans sa ceinture. Il lança, lui aussi, un long regard sur l'île, comme si elle fascinait autant que moi.

– Vous êtes prêts ? nous demanda-t-il enfin.

– Prêts ! affirma Fanch en se levant. Où se cache Bibi Bancroche ?

– Dans une cabane en ruine, pas loin d'ici, assura Chandeleur. Suivez-moi.

Il s'engagea sur un sentier qui serpentait entre des bancs de sable, des flaques verdâtres et de pâles fleurs d'automne.

– Attention, nous recommanda-t-il. Restez dans mes pas, il y a des sables mouvants.

Je pâlis malgré moi.

– Tu es sûr de t'y retrouver ?

– Je connais bien le coin, affirma-t-il.

La cabane du boiteux, une masure croulante accrochée à une dune, branlait au vent. Nous improvisâmes un rapide conseil de guerre.

– J'ai mon arme, expliqua Chandeleur. On enfonce la porte, on le menace, on récupère le coffre et on partage l'or.

– Et le boiteux ?

– On le dénonce à la gendarmerie, proposa Chandeleur. Il a tué l'Échalas, l'Ankou me l'a dit. Vous êtes témoins, non ? Il est bon pour la guillotine.

– Ils ne croiront jamais des garçons comme nous, protestai-je.

– Si Bibi Bancroche était un bourgeois, sûrement pas, répliqua Chandeleur, mais c'est un Corbeau qui porte la Griffe, un naufrageur. Les gendarmes seront ravis de le coincer… et de le raccourcir.

Je frissonnai. J'imaginais presque la scène : un homme jugé, traqué, la lune à l'aube, la guillotine et le bourreau sur une place déserte.

– D'accord, ils le condamneront, grogna Fanch mais ensuite ? Et l'or ? Tu crois qu'ils nous laisseront l'or ?

– Non, admit Chandeleur. Une fois que nous l'aurons, il faudra le cacher à notre tour. Nous le partagerons plus tard.

– C'est ça, bougonna Fanch. Tu te serviras tranquillement pendant que Toussaint et moi, nous moisirons à l'orphelinat sans pouvoir rien faire. Tu me prends pour un idiot ? En plus, le boiteux nous accusera sûrement avant d'y passer.

Fanch se méfiait de Chandeleur. Moi aussi, d'ailleurs.

Le jeune colporteur ne répondit pas. Il se tourna vers moi et me demanda :

– Toi, me crois-tu, Toussaint ?

Il parlait d'une voix grave, très sérieuse, comme si mon opinion comptait à ses yeux. Je me tus, indécis. Je l'admirais. Mieux, il me fascinait. J'enviais son aisance et sa liberté. Je souhaitais lui faire confiance. Mais je souhaitais aussi un père et une mère, des frères, une belle maison, et ça n'arriverait jamais. Les rêves des orphelins restent des rêves.

Soudain, la porte de la masure s'ouvrit à la volée. Le boiteux apparut, l'air méfiant, un pistolet à la main. Il nous vit et lâcha immédiatement un coup de feu.

Je m'aplatis sur le sol et Chandeleur m'imita. Bibi Bancroche courut vers nous, comme pris de folie. Il se rua sur Fanch, resté debout, et l'empoigna d'une main de fer.

– Venez ici, les deux autres ! Revenez ou je l'abats ! hurla-t-il.

Nous étions dans de beaux draps ! Je ne tenais pas particulièrement à Fanch, mais si le boiteux le tuait, il se retournerait ensuite contre nous. Et puis c'était quand même un camarade.

Heureusement pour lui, Fanch ne manquait pas de ressources. Il se dressa brusquement sur la pointe de ses sabots et son crâne nu heurta le menton du boiteux. L'homme à la griffe relâcha son étreinte. Fanch repoussa son adversaire avec une telle violence que celui-ci lâcha son pistolet. Fanch se baissa, s'empara de l'arme et tira à son tour. Le coup atteignit Bibi Bancroche au bras. Il poussa un cri de douleur et fonça devant lui comme une bête blessée. Il bouscula Fanch, passa entre Chandeleur et moi et se rua vers les dunes.

– Attention ! cria Chandeleur. Il y a des sables mouvants !

L'homme n'écoutait pas, n'entendait pas. Il courait, courait. Son bras droit pendait à son côté.

– Attention ! répéta Chandeleur.

Trop tard ! Le boiteux pataugeait déjà dans les fondrières. Les sables l'aspiraient, entourant ses chevilles, puis ses genoux, puis son ventre. Il se débattit farouchement mais ses efforts précipitaient sa perte. Il s'immobilisa enfin et hurla d'une voix rauque :

– À l'aide, les garçons ! Sauvez-moi !

Je gémis :

– Il faut le dégager.

– Ne t'approche pas de lui ! m'ordonna Chandeleur. Il est trop loin dans les sables. Tu t'enfoncerais à ton tour !

Je ne l'écoutai pas, tant les cris du boiteux m'épouvantaient. Je courais follement vers le malheureux lorsque Fanch se dressa sur mon chemin.

– Tiens-toi tranquille, crétin ! gronda-t-il.

Je voulais continuer mais Fanch me frappa avec la crosse de son arme. Je tombai à genoux et il m'appliqua un second coup sur la nuque. C'était comme si je recevais le menhir de Merlin sur le crâne, plus la Table ronde du roi Arthur pour faire bon poids.

Je me relevai plusieurs minutes après, encore étourdi. Fanch et Chandeleur, immobiles, contemplaient fixement les sables vides. J'imaginais des doigts crispés, une main se refermant sur le néant... J'étais livide.

Bibi Bancroche, l'assassin, avait disparu. Seuls d'ultimes frémissements marquaient l'endroit de sa mort. Je chancelai et lâchai un sanglot.

– Ça ira, Toussaint ? s'inquiéta Chandeleur.

– Oui, je crois.

Je me retournai vers Fanch et marmonnai :

– Cette fois, tu m'as sauvé la vie. Nous sommes amis, maintenant.

Il me fixa, haussa les épaules et répondit durement :

– J't'ai sauvé parce que je suis un imbécile. Nous ne sommes pas amis. Je te hais ! T'es trop beau, trop blond, trop délicat. On croirait que t'es un fils de roi, Toussaint, et j'aime pas ça !

Il fit volte-face, entra dans la masure et en ressortit avec le coffre au trésor sous le bras gauche. De la main droite, il pointait vers nous l'arme du boiteux.

– Ils sont tous morts, siffla-t-il, l'Échalas, Gros-Bouillon et Bibi Bancroche. Je ne laisserai l'or à personne, et surtout pas à vous deux.

– Et alors ? demanda calmement Chandeleur.

– Je l'ai déjà expliqué à Toussaint, répliqua Fanch. Je donnerai l'or à mon père. Après tout, le coffre était caché sur ses terres. Il y a droit ! Même les gendarmes seront d'accord.

Il émit un rire bref, sans joie :

– Mon père gardera l'or et il me remerciera. Enfin. Enfin ! Et je n'ai même pas besoin de vous tirer dessus. Les voleurs et les assassins se sont entre-tués, la gendarmerie nous fichera la paix.

Il riait toujours, sur un ton aigu, presque hystérique.

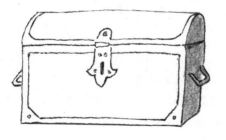

– Chandeleur courra les routes et les filles, comme avant, et toi, Toussaint, tu pourriras à Fontbrune jusqu'à ce qu'on te place comme valet de ferme. Ça me fera drôlement plaisir ! Tu ne mérites rien d'autre !

Je hurlai furieusement :

– On ne te croira pas !

– Je rapporte l'or, objecta-t-il. Ça prouvera mon honnêteté !

Chandeleur se frotta le menton en signe de réflexion et soupira :

– Il a raison, Toussaint. Il vaut mieux le laisser partir.

– T'es un malin, toi, ricana Fanch. Bon, je vous quitte, faut que j'voie mon père. Bientôt je s'rai riche avec les félicitations de m'sieur l'maire, de m'sieur l'évêque et même de l'Empereur, à Paris. Et bougez pas ou je vous tire dans les genoux. Ça ne tue pas mais ça fait mal !

Il ricana une dernière fois et nous contourna, pointant toujours son arme vers nous. Il marcha jusqu'à un bosquet d'arbres en suivant la piste tracée par Chandeleur entre les sables mouvants. Il disparut en emportant la cassette au trésor, mon avenir et celui de Noël, mes rêves d'enfant perdu.

Chandeleur me serra brusquement la main et affirma d'une voix pleine d'affection :

– Console-toi, Toussaint. Un jour, tout s'arrangera pour toi, je te le jure !

Il me répondait avec anxiété, avec bonté. Je ne comprenais pas pourquoi mais j'avais terriblement envie de le croire ! Je lui adressai un pauvre sourire et marmonnai :

– On verra bien…

## Les habitants
## de la Tour-aux-Fées

*M. Bouffroy me fait la morale, et lady Sibyl
me fait de la peine. Lady Cassandre me fait des
reproches et lord Maugis me fait l'aumône.*

Fanch ne revint pas. Je n'entendis plus
parler de lui. Je supposai que Maître Le
Brez le gardait avec lui mais, pour une fois,
les ragots du pays ne me renseignèrent pas.

Noël retourna à sa bergerie et Chandeleur
à ses affaires. Moi, je retrouvai une fois de
plus la routine de l'orphelinat.

Les petits pleuraient la nuit. Les grands, qui pensaient déjà aux filles, ricanaient en entrevoyant mam'zelle Blanche, ses fanfreluches et ses rubans ; mais tous deviendraient un jour garçons de ferme, comme Noël. Moi aussi, à ce que je croyais. Pourtant, ma vie à Fontbrune touchait à sa fin.

Un dimanche, M. Bouffroy, le directeur, me convoqua dans son bureau. Fulbert Brazier, le ramoneur, était là. Il me jaugea d'un regard calculateur. Je baissai prudemment les yeux, cet homme m'effrayait. Il portait la Griffe après tout.

M. Bouffroy m'annonça que je partirais dès le lendemain pour Paris avec Brazier, afin de devenir apprenti ramoneur. Le directeur donna mes papiers à mon nouveau patron sans autre formalité, puis il m'infligea le petit discours qu'il débitait toujours en pareil cas :

– Maintenant tu es un homme, Toussaint. Tu as un bon maître qui te donnera un bon travail. J'espère que tu seras content, obéissant, reconnaissant.

« Lui aussi, il fait des vers, ce gros prétentieux », pensai-je en l'écoutant.

Mon bonnet à la main, j'arborais pourtant mon regard le plus soumis. À Fontbrune, il fallait bien jouer la comédie.

– J'espère que tu travailleras dur, continua M. Bouffroy. C'est un grand jour pour toi, mon garçon, tu gagneras bientôt ton pain.

Comme si j'étais en vacances à l'orphelinat ! Je m'inclinai pourtant, l'air débordant de gratitude.

Et voilà, je deviendrais ramoneur.

Chandeleur arrondissait sans doute sa pelote en vendant ses marchandises de pacotille sur tous les chemins du pays. Fanch et Maître Le Brez, eux, se prélassaient probablement sur leur tas d'or, et moi je restais pauvre. Une bouffée de révolte m'envahit mais je ne pouvais rien montrer. Je grognai donc d'un ton obséquieux :

– Merci de me donner ma chance, m'sieur.

Le directeur hocha gravement la tête. Cette comédie me répugnait. Si je gagnais enfin mon pain à Paris, comme le disait M. Bouffroy, même le pain noir d'un ramoneur, ça me délivrerait au moins de cette hypocrisie.

Une heure plus tard, la cloche ordonna aux orphelins de s'aligner dans la cour, comme chaque dimanche, pour saluer les notables.

Miss Dahu et les gens de sa famille, les maîtres du château de la Tour-aux-Fées, nous rendaient justement visite. Je vis sa mère, lady Sibyl, sa tante, lady Cassandre, et un oncle que je ne connaissais pas encore, un homme mince, blond et très élégant.

J'appris plus tard qu'il se nommait lord Maugis LeFay. Je comparus devant lui parmi d'autres garçons, les visiteurs bavardaient parfois avec les orphelins.

Lord Maugis me sourit et déclara dans un français parfait :

– Ce garçon deviendra rémouleur? C'est bien, c'est très bien.

– Pas rémouleur, ramoneur, Votre Seigneurie, précisa M. Bouffroy.

– Rétameur? Parfaitement, parfaitement, approuva le lord en bâillant.

Lady Sibyl, une très belle dame qui ressemblait à son frère, convint avec indifférence :

– Je suis sûr que c'est un bon petit.

Lady Cassandre, que je jugeais encore plus belle que sa sœur, ne dit rien. Son regard me traversait comme si j'étais transparent. Elle me mettait mal à l'aise.

Miss Dahu tapota mon crâne nu de son ombrelle et minauda d'un air apitoyé :

– Il est mignon, mais ça ne se verra plus quand il sera couvert de suie. Dommage.

– Voyons, ne vous moquez pas de ce malheureux, lui reprocha lord Maugis.

Miss Dahu se moquait effectivement de moi toutefois je ne lui en voulais pas. Enfin, pas trop…

Lady Cassandre bâilla à son tour, l'air ennuyée. Ses lourds cheveux blonds encadraient un visage pâle aux yeux pensifs, très bleus mais distants, impénétrables. J'aurais voulu qu'elle me caresse la joue, j'ignorais pourquoi.

Miss Dahu laissa tomber son ombrelle. Je me précipitai, la ramassai vivement et la lui rendis avec mon plus beau sourire.

– Voyons, ma chérie, remarqua sa mère, ce garçon a sûrement les mains très sales.

– Ce garçon est trop malin pour son propre bien, rectifia sourdement lady Cassandre. Il devrait rester à sa place, comme les autres.

Je baissai la tête, humilié. Miss Dahu, sa mère et sa tante s'éloignèrent, escortées par M. Bouffroy. Lord Maugis s'attarda une seconde, le temps de me donner une pièce de cinq francs. Je le remerciai avec gratitude.

Autour de moi, les gars commentaient l'événement :

– T'as vu la fille ? Quelle greluche !

– Et t'as vu ses perlouzes, à la demoiselle ?

– Ouais ! Ça en vaut, des picaillons !

Miss Dahu disparut à l'autre bout de la cour. Le parfum des belles dames flottait encore derrière elles. Je le humai avec une légère ivresse avant de regagner l'atelier. Mon cœur battait la chamade.

## La route de Paris

*Maître Brazier me fait marcher. Ses confi-*
*dences m'intriguent. Je perds deux camarades*
*mais j'en découvre un nouveau.*

Le lendemain matin, maître Brazier
réunit ses « élèves » : une dizaine de garçons maussades que je connaissais mal car
ils ne logeaient pas dans le même dortoir
que moi, plus un jeune Anglais nommé Elie
Brown, un marmot blond et chétif, guère
plus épais qu'une allumette.

Il ne balbutiait que vingt mots de français. Il avait été ramoneur à Londres chez un mauvais maître. Il s'était enfui puis avait embarqué clandestinement sur un voilier britannique afin de tenter sa chance en France avant de se retrouver entre les pattes de Brazier. Un long voyage pour rien.

– Elie connaît déjà le métier, nous expliqua notre nouveau patron en lui calottant la nuque. Il vous aidera, au début.

– Tu parles, grogna un garçon à côté de moi, un certain Pierre Torchet que tout le monde appelait Torchonnet. S'il a l'habitude, il récoltera les sous des riches à notre place.

– Silence! En route! ordonna Brazier.

Notre voyage vers Paris devait durer environ trois semaines. Nous arriverions dans la capitale à la fin de l'automne, quand les bourgeois guettaient les ramoneurs au coin des rues.

Je me sentais plein d'appréhension et, en même temps, empli de nostalgie. Ce départ me rendait profondément mélancolique. Je haïssais Fontbrune mais, après tout, j'y avais passé toute mon existence. Et puis, j'étais triste de partir sans revoir Noël ou Chandeleur, la Morrigane et miss Dahu.

Nous marchions toute la journée. Le soir, on couchait dans des granges ou des greniers d'auberges. Nous travaillions dans les vergers ou les écuries pour payer notre nourriture.

Je ne parlais guère à mes camarades. Je pensais aux mystères que je laissais derrière moi. Brazier m'inquiétait. Je me demandais s'il avait une idée derrière la tête en me sauvant la vie, puis en m'achetant.

Je ne bavardais un peu qu'avec deux des garçons : Torchonnet et un enfant très mince nommé Julien, dont j'appréciais le calme et la douceur. Mais un soir, alors que nous dînions dans une auberge située à un important carrefour entre la Bretagne, Paris et la Normandie, deux hommes abordèrent le maître ramoneur, un fermier nommé Bonard et un cabaretier qui s'appelait Bournier. Ils cherchaient tous les deux un jeune domestique. Ils nous examinèrent, nous reniflèrent, nous évaluèrent comme des veaux sur un marché. Ils semblaient prêts à nous racheter à Brazier.

— Tu veux travailler dans une ferme? me demanda enfin M. Bonard d'un ton plutôt aimable. Tu toucheras soixante francs par an, plus la blouse et les sabots.

— Non m'sieur, merci bien, répondis-je en me souvenant de Maître Le Brez et de Gallen.

Et puis quoi encore? Pas question de pourrir entre deux poules et trois cochons!

— Et dans mon auberge? s'enquit Bournier sans parler de salaire.

J'hésitai. Dans une auberge, je rencontrerais des voyageurs de commerce, des camelots ou de riches étrangers. J'échapperais à Brazier. Je toucherais des pourboires...

J'imaginais déjà l'animation de la grand-route, les pataches et les coches, les charrettes chargées de marchandises, les diligences! Mais Paris valait encore mieux!

Et puis la tête du cabaretier ne me revenait guère plus que celle de maître Brazier. Une fois coincé dans son auberge, je ne lui échapperais jamais. Par contre, à Paris, je m'enfuirais plus facilement.

Je me taisais. Bournier haussa les épaules et reposa sa question à Torchonnet.

– J'm'en fous ! marmonna le gars.

Il récolta une paire de gifles, mais l'aubergiste le choisit quand même. Je compris que cet homme était dur et méchant. J'avais eu de la chance. Bonard, lui, choisit Julien.

Le lendemain, à l'aube, nous reprîmes la route. Je me retournai vers le seuil de l'auberge. Julien, Torchonnet et leurs nouveaux maîtres nous regardaient partir.

Julien et Torchonnet ne se ressemblaient guère : l'un très doux, toujours souriant, un peu comme Noël, l'autre brutal et sournois. Le fermier semblait gentil, l'aubergiste avare et méchant.

Le destin des deux garçons s'était décidé à l'improviste, sur un coup de dé. Le monde est un cabaret où les orphelins jouent leur destin. Et les tricheurs gagnent toujours.

Ce jour-là, juste avant midi, maître Brazier ordonna une halte à l'orée d'un petit bois de châtaigniers.

Mes camarades sortirent de leurs poches ou de leur bissac le pain gris et les croûtes de fromage du déjeuner.

Le ramoneur m'attira à l'écart et me souffla à l'oreille :

– T'as bien fait de refuser la proposition de Bournier, mon gars. De toute façon, je t'aurais pas vendu à cet imbécile.

– Et pourquoi pas, m'sieur? demandai-je avec curiosité.

Le ramoneur hésita. Il me dévisageait d'un air bizarre, comme si j'étais un oiseau rare, du genre merle blanc ou mouton à cinq pattes.

Il retroussa sa manche gauche et marmonna enfin :

– Tu sais que je porte la Griffe? Le tatouage des Corbeaux.

J'avalai péniblement ma salive avant de répondre :

– Ben oui m'sieur.

Il s'exclama :

– Parfait! Alors n'oublie jamais ce que je vais te dire, Toussaint Chantepie. Les Corbeaux et moi, on sait des tas de choses sur toi. On a des projets, de grands projets pour toi! Tu seras bientôt riche si tu nous obéis, très riche, et p'têt ben que tu retrouveras ta famille.

– Ma famille? balbutiai-je en écarquillant les yeux. Vous savez qui c'est? Vous connaissez mes parents! Dites-moi où ils sont!

Brazier ricana. Il retroussa les lèvres comme un chien enragé et gronda :

– La ferme, sale petit rat ! T'es là pour te taire et pour obéir ! T'as compris ?

– Oui, oui m'sieur…

Mon nouveau maître ricana de plus belle.

– T'as intérêt à filer doux, grinça-t-il. Va rejoindre les autres !

Je baissai la tête et j'obéis sans demander mon reste. Mais les mots magiques tournoyaient follement dans ma tête : « Ma famille ! Ma famille ! Ma famille ! »

Le voyage continua. La route s'étendait devant nous, le plus souvent grise et poussiéreuse, parfois envahie par les mauvaises herbes ou des flaques de boue. Dans le ciel, les oies sauvages fuyaient vers de lointains printemps. Mes sabots écrasaient des feuilles souillées ou des perles de gel.

Je bavardais maintenant volontiers avec Elie Brown, le jeune Anglais. Il semblait sympathique et on ne peut pas vivre sans amis. Il m'apprendrait à ramoner, je lui enseignerais le français, si maître Brazier et les compagnons de la Griffe m'en laissaient le temps, une fois arrivés à Paris.

Paris… je me demandais ce qui m'y attendait en m'approchant des fortifications qui entouraient la capitale.

Brazier était mon maître désormais, un homme avare, impitoyable. Il avait des plans pour moi, des plans mystérieux. J'entendais encore ses paroles :

« N'oublie jamais ce que je vais te dire, Toussaint Chantepie. Les Corbeaux et moi, on sait des tas de choses sur toi. On a de grands projets pour toi ! Tu seras bientôt riche si tu nous obéis, très riche, et p'têt bien que tu retrouveras ta famille. »

Ma famille ! Existait-il *vraiment* un moyen de la retrouver, comme le prétendait Brazier ? Et puis il y avait aussi la Bretagne que j'aimais tant. Je me jurai d'y revenir, tôt ou tard, malgré les intrigues des Corbeaux.

Et puis il y avait encore Noël et Chandeleur, la Morrigane et miss Dahu, le trésor de la souche et les secrets de Bangor. Je n'y renonçais pas !

Que de tourments! Il me faudrait un gros livre pour en parler. Je l'imaginais déjà : « Mémoires de Toussaint Chantepie, volume II ».

Et pourquoi pas?

Je marchais sur la grand-route en songeant aux merveilles de la capitale, aux crimes des Corbeaux et à ma famille, qui m'attendait peut-être à Paris.

*À suivre…*

# TABLE DES MATIÈRES

## ☁ L'AUTEUR

Né à Strasbourg en 1958, **Paul Thiès** a fait escale à Buenos Aires, Madrid, Tokyo, Mexico, avant d'atterrir plus longuement à Paris.

Féru de littérature en tous genres, il est aussi remuant que ses personnages, aime beaucoup les gares et les aéroports, rencontre volontiers ses lecteurs qu'il entraîne dans des aventures endiablées, dans des univers peuplés de héros aussi touchants que malins.

Il a écrit beaucoup de livres pour les jeunes chez Rageot.

## ☁ L'ILLUSTRATRICE

**Nathaële Vogel** est née en Alsace puis a vécu à Boulogne-sur-Mer jusqu'à l'âge de vingt ans. Elle y a découvert et aimé la mer et les balades sans but sur les falaises. Dès la maternelle, elle prévient ses parents que le dessin sera son métier. Elle a tenu parole. Après avoir fini ses études aux Beaux-Arts de Tourcoing, elle s'installe à Paris et y dessine.

Aujourd'hui Nathaële Vogel illustre des romans ou des ouvrages documentaires pour la jeunesse. Elle voue une passion aux chiens et aux labradors en particulier. Colleen, sa chienne labrador, est sa première lectrice. Elle rythme ses journées par des promenades ou des parties de football.

Des vacances inoubliables…
## Plus fort que le jeu télévisé !

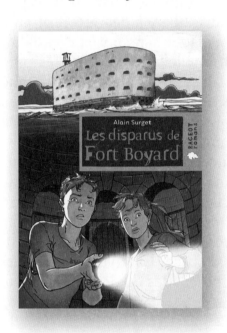

# Les disparus de Fort Boyard

**Alain Surget**

Retrouvez la collection
# Rageot Romans
sur le site www.rageot.fr

PAPIER À BASE DE
FIBRES CERTIFIÉES

**RAGEOT** s'engage pour
l'environnement en réduisant
l'empreinte carbone de ses livres.
Celle de cet exemplaire est de :
496 g éq. $CO_2$
Rendez-vous sur
www.rageot-durable.fr

Achevé d'imprimer en France en avril 2014
sur les presses de l'imprimerie Hérissey
Couverture imprimée par Boutaux (28)
Dépôt légal : mai 2014
N° d'édition : 6055 - 01
N° d'impression : 122263